DESCONSTRUINDO O HOMEM

Antonio Carlos Gaio

DESCONSTRUINDO O HOMEM

1ª Edição

Rio de Janeiro

2014

Título Original: Desconstruindo o Homem

Editor-chefe:
Tomaz Adour

Revisão:
Equipe Vermelho Marinho

Editoração Eletrônica:
Equipe Vermelho Marinho

Capa:
Eduardo Nunes

Texto revisado segundo o novo Acordo Ortográfico da Língua Portuguesa.

G143d Gaio, Antonio Carlos
Desconstruindo o Homem / Antonio Carlos Gaio
Rio de Janeiro: Vermelho Marinho, 2014.
164 p. 14x21 cm.

ISBN: 978-85-8265-026-4

1. Psicologia. 2. Relações humanas. I. Título.

CDD: 150

EDITORA VERMELHO MARINHO USINA DE LETRAS LTDA
Rio de Janeiro – Departamento Editorial:
Rua Visconde de Silva, 60 / 102 – Botafogo – Rio de Janeiro - RJ
CEP: 22.271-092
www.vermelhomarinho.com.br

SUMÁRIO

ADVERTÊNCIA

O livro se desenvolve numa atmosfera teatral através de diálogos entre dois personagens não identificados por nomes ou alcunhas. **Um deles é o autor**, no papel de analista do comportamento e da trajetória do homem, reconhecido pela letra normal e com o texto em parágrafo. **E o outro são interlocutores incógnitos** que ajudam o autor a desconstruir o homem, podendo até mesmo ser uma mulher, reconhecidos pela letra em itálico e com o texto colado à margem. Funcionam como contraponto de denúncias sobre as insuficiências básicas do homem ao mesmo tempo que porta-vozes das mulheres, trazendo à baila queixas e decepções, bem como a reprovação diante de sua postura temerosa e desconfiada com o rumo que os relacionamentos estão tomando.

APRESENTAÇÃO

O tema *Desconstruindo o Homem* veio à tona quando observei o progressivo fim do donjuanismo a partir da evolução sofrida pela mulher, iniciada na luta feminista, em paralelo com a misoginia, que se alastra como uma epidemia até hoje - muito embora a cabeça do homem seja uma orgia, tamanho o fascínio pelas putas. O que levou a mulher a pontuar na grande transformação dos costumes, tornando a moral menos rígida.

Foi quando cheguei à conclusão que a construção de um novo homem é o carma a ser resgatado, senão o amor é que vai sofrer as consequências.

Ao associar o homem às práticas políticas de Maquiavel, eis que o livro nasce fruto do ensaio "Eu sou Maquiavel", escrito em 1998, ao tempo em que procurava encerrar um longo ciclo de 20 anos de psicanálise (freudiana, bioenergética e reichiana) alternada com psiquiatria, iniciado em 1965 e entrecortado por pausas para meditação. A derradeira terapia foi centrada no ataque às deficiências do homem que dificultam uma nova leitura dos relacionamentos.

Vindo a refletir-se na temática do livro, que aflorou através de diálogos entre dois personagens, sendo um deles o autor, no papel de analista do comportamento e da trajetória do homem. Quanto ao outro, são interlocutores incógnitos que ajudam o autor a desconstruir o homem, podendo até mesmo ser uma mulher, funcionando como contraponto de denúncias sobre as insuficiências básicas do homem ao mesmo tempo que porta-vozes das mulheres, trazendo à baila queixas e decepções, bem como a reprovação diante de sua postura temerosa e desconfiada com o rumo que os relacionamentos estão tomando.

O tema se desenvolve numa atmosfera teatral em que a representação não excede os limites do comedimento. Sem maiores conflitos entre os interlocutores, mesmo porque o maior deles, que é o próprio homem, ocupa todos os espaços, como só e acontece.

Voltado para todos os homens que buscam, em maior ou menor escala, uma nova atitude, menos cerceadora e ágil em tolher, procurando romper um ciclo milenar de masculinidades hegemônicas como a figura do Don Juan, do provedor, do dominador e de todos aqueles que, de uma forma ou de outra, anulam ou restringem suas companheiras. Mal conseguindo disfarçar a inquietação diante da mulher pós-feminista, parecendo que se calaram para sempre em protesto à perda de território.

A crise é a melhor oportunidade para fazer a transição do hostil para o sensível.

Antonio Carlos Gaio

PREFÁCIO

O autor procura elucidar as relações humanas e detalhar as construções do homem para lograr êxito permanente, fazendo deste livro uma coleção de pérolas extraídas da concha de suas observações, lembranças e vivências.

Desconstruir toda uma série de idealizações humanamente infantis, vigentes nas parcerias amorosas, deixa especialmente o homem numa posição difícil, na medida em que sorveu da cultura a posição do caçador, do violador dos direitos e dos corpos das mulheres, o que o leva ao delírio.

Não há quem não se encontre em vários rincões do texto, seja o leitor homem ou mulher, pois um está sempre implicado no outro, irremediavelmente partícipes das tramas que vão urdindo com os silêncios e com as palavras, que costuram as relações entre homens e mulheres.

O texto encosta o homem na parede e põe as mulheres de sobreaviso acerca de suas contribuições quanto a desenlaces e enlaçamentos de altíssima complexidade.

Por vezes, frases curtas encurralam o leitor, frases proferidas diariamente que mostram como se passa da miséria banal ao mais agudo drama.

Capítulos curtos mostram o poder de concisão do autor. E, digamos, sem disfarces, ele vai direto ao ponto. Enlaça a fantasia em seu tempero ao melhor estilo do Marquês de Sade, como é próprio do homem, em contraste com o incompatível romantismo da mulher.

Não escapa ao olhar de lince do autor a ilusão de ótica, que é o amor por supor que o outro tem o que me falta para sentir-me completa. Na impossibilidade de que tal ocorra, a resultante é a decepção que culmina na separação ou na sujeição. Há ainda o que o autor chama de "a intempestividade do romântico, que vira o jogo e faz prevalecer o sentimento sobre a razão, a imaginação sobre o espírito crítico".

Gaio não faz nenhuma concessão à Cultura (transmissão da subjetividade) ditada pelos homens e seus "desatinos cometidos em nome do amor a perseguir o equilíbrio para preservar a postura superior diante da mediocridade reinante. Há que permanecer insensível".

A separação entre a mãe e a puta dá lugar à "mulher coisificada", expressão que condensa com extraordinária precisão o lugar que a mulher tem para o homem que não a pode amar e desejar, não a mesma mulher. Precisa sempre, metonimicamente, de outra, outra e mais outra.

É com grande alegria que escrevo este prefácio, uma vez que trata de um tema que parece dormir no quarto escuro da memória do tempo em que vivemos, que, embora seja o da tecnologia avançada, ainda não conseguiu com tantos apetrechos ir mais além do que o foram aqueles que, em todas as épocas, ocuparam-se do imaterial, que é o único meio de redimir a humanidade de sua desumanização. É um livro que trata essencialmente do amor, do "novo ser", título do último capítulo.

"Do amor do eterno e do infinito, única coisa que dá prazer à mente e a liberta de todo sofrimento", conclui o autor com Spinoza.

Um belo fechamento! Vale a pena viver e, então... chegar a poder viver assim!

Lenita Bentes
Psicanalista lacaniana

EU SOU MAQUIAVEL

Eu sou Maquiavel, o príncipe dos príncipes, saindo da encolha dos escolhos para revelar o que só eu sei e posso dizer, apenas agora, que não confio nos homens. Porque eles mentem. Não merecem confiança. A principiar pelo destino que dão ao seu sexo.

Seu próprio sexo, tão acariciado, bem-amado, esse querido e inocente útil, a serviço de causas perdidas. Prolixo por ser poliglota; hermético porque não consegue decifrar o enigma das mulheres: ou bem elas formam uma constelação de arrancar suspiros, ou então são arbustos sempre verdes, próprios de lugares áridos e gélidos, com flores róseas sob a forma de guarda-chuva, que funcionam como escudos e escondem espinhos.

Seu próprio sexo, de tanto fazer e acontecer, de subir morro acima para cravar a bandeira do alento e da fé no amor, de descer escadaria abaixo, escorraçado do Paraíso.

Homem, esse ser tão respeitado por não quebrar sigilo, fornido na maçonaria cuja fraternidade se ocupava em vigiar como tudo deveria prosseguir segundo a ética vigente. Que me inspirou a escrever, em 1513, *O Príncipe*, um manual de autoajuda para manter o poder e o controle aí no seu estado, rincão ou grotão, seja lá como chame. Na mesma época em que, com o ovo, Colombo descobriu a América e eu, na qual a política é a arte do possível que leva em conta como as coisas são e não como elas deveriam ser. O modo como vivemos é tão distinto do que deveríamos ser que quem desprezar o que está habituado a fazer para praticar o que deveria ser feito, encaminha-se mais para a ruína do que para a salvação.

Prescrevi que era preciso tratar bem os homens ou então aniquilá-los. Por hábito se vingam de pequenas injúrias, mas hesitam diante de agressões graves. Comportar-se em todas as circunstâncias como homem de bem não modifica o seu destino de perecer entre tantos de caráter duvidoso. Quem quiser ser bom entre os maus, fica arruinado.

Contudo, faz parte da natureza dos elementos que nos regem o fato de que nada adianta evitar uma dificuldade; existe outra à sua espreita na primeira esquina. Pensar em contornar perigos presentes lança os eternos indecisos na sensaboria da neutralidade. A ideologia de cada um conhecer o seu lugar, em inúmeras castas e classes sociais, demorou toda uma pré-história para se desmilinguir e ceder espaço à afronta, à contestação, e a jogar pedra no telhado de vidro de quem tudo esconde no santo sepulcro da privacidade, conta bancária, ligações telefônicas e paraíso fiscal. As vendetas se projetaram do umbigo de famílias reais e alcançaram as altas esferas do poder republicano, parlamentarista e presidencialista. Floretes e pistolas em duelos refinaram o estilo com difamações na liça da mídia, pondo à mostra o medo de ser traído por outro pulha que julga não merecer sua altaneira confiança, medido a peso de ouro do alto do pedestal em que se encontra.

É muito mais seguro sermos temidos do que amados; o punhal de Brutus não nos deixa em paz e remexe esqueletos largados na memória de ingratos, volúveis, simuladores e dissimulados, ávidos em lucrar. Se os donos do poder os beneficiam, ficam inteiramente do seu lado. Enquanto você fizer o bem para eles, são todos seus;

oferecem-te seu próprio sangue, suas posses, suas vidas. Mas basta você passar necessidade, que eles viram as costas.

Lembro-me que conversei com Shakespeare a respeito quando de um giro pela região lombarda e toscana. Embevecido por Verona, Firenze e Pisa, confessou-me que sua nova peça, *Timon de Atenas*, realça os queixumes desses sanguessugas que desejam ver pelas costas aquele que se viu privado de seus bens e ousou colocar-se em posição contrária àquela em que todos estavam habituados a vê-lo.

Os homens não guardam o menor escrúpulo em ofender o objeto do seu amor, muito embora defronte a quem se faça temer, songamonga seja a solução. Rompido o compromisso com o amor, ele deixa de ser imprescindível e o egoísmo é a vala comum. Já o revide, que nunca falha, o atemoriza.

Eu, Nicolau Maquiavel, concentrei-me sobre as estratégias de como ganhar o poder e de como mantê-lo, e por que se o perde. Em esquivar-me da crueldade indiscriminada ou gratuita e da compaixão. No combate à conspiração, procurar escapar da influência nefasta do ódio ou desprezo. Obcecado por equilíbrio e estabilidade, meu paradigma é a República de Roma (se levado em consideração como precocemente se organizou para governar): nas províncias conquistadas, os romanos sempre seguiram a norma de instalar colônias, apoiar os menos poderosos – sem aumentar-lhes a força –, abater os recalcitrantes e não permitir que os Estados estrangeiros exerçam sobre elas sua influência.

Nas atuais republiquetas, ao se tornar marido de uma mulher dona de seu nariz, esse venerável senhor ainda irá querer moldá-la antes que ela o destrua em nome da liberdade, pouco importa as concessões que ele venha a fazer ou o tudo de bom que põe em suas mãos. Essas ingratas jamais reconhecerão o tanto que suas vidas mudaram a partir daquela noite enluarada em que dançaram de rosto colado com um olho no futuro. Em terra de cego, quem tem olho é rei, acreditaram. Enquanto eles creem no pragmatismo para enfrentar a natureza lábil delas, sem imunidade à persuasão explorando sua capacidade inesgotável de sonhar. Difícil é aturar seu despudor na mudança constante de opinião, desconfiança generalizada que somente sossega ao convencê-las das vantagens em viver no seu domínio.

Os homens cresceram sob o estrépito da lei do chicote, o condicionamento educacional da família e da escola para vencer um caminho cheio de espinhos a ser venerado quando superam os perigos, depois de enxotar os invejosos que agem à solta com raiva das estrelas que brilham. Ao se tornarem poderosos, seguros, respeitáveis e felizes, se consideram a um passo da eternidade.

Ao nascer, o homem se julga um aquinhoado perante a mulher, um príncipe segundo os privilégios que a família lhe confere. Só mais tarde ele irá compreender que não pode dirigir ou ordenar tudo o que lhe apraz, a não ser que opte pelo caminho do crime: a opressão. Como julgam que veem mais longe e são mais espertos, agem sempre com oportunismo para se salvarem das enrascadas em que se metem. Em qualquer disputa ficam do lado de quem presumem seja o vencedor. A lei do cão, antes que cortem sua cabeça; agem primeiro, preventivamente. Fácil fazer a guerra; difícil negociar a paz.

O homem à cabeça do Estado, com dinheiro e armas suficientes para reunir um exército e atacar quem tentasse desmoralizá-lo. O pensamento era voltado para o combate, sua organização e disciplina – a única arte necessária para quem quer se manter no poder. Estar desarmado significava ser desprezível. Se desdenhado, a resposta estava na ponta do punhal.

Em tempo de paz, cabe redobrar os exercícios militares, mais do que na guerra, através do constante treinamento na caça, que acostuma o corpo às agruras do terreno em que pisa e ensina sua natureza. Cabe estudar qual a posição das montanhas, a abertura dos vales, a extensão das planícies, e a compreender o curso dos rios e a matéria-prima dos pântanos. Conheça-te a ti mesmo, o seu próprio território e a melhor maneira de protegê-lo, habilitando-o a outras paragens que precise observar, a fim de localizar o inimigo e fazer o assédio.

Causa-me repulsa vê-los, agora, forçados a se refugiarem atrás dos muros, permanecendo na defensiva. É imperioso estudar a história de homens eminentes para avaliar como se conduziram na guerra e expiar as consequências de suas derrotas.

O Príncipe só escolhia homens sábios para seu conselho, dando-lhes plena liberdade de falar a verdade, apenas quando perguntados. É o princípio do se eu não lhe pedi opinião, para quê conselhos? No entanto, ouvia-os com muita paciência, fingindo zangar-se ao perceber escrúpulos nas caras e bocas.

Manter promessas apenas se for conveniente – os homens falam sempre com falsidade, salvo quando a decadência os obriga a serem autênticos. Tu que o disseste, Maquiavel, se os fins justificam os meios. É por essas e outras que maquiavélico virou sinônimo de astuto, pérfido, manhoso, sem princípios e, portanto, cruel. A política é, antes de tudo, um exercício de escolha: o importante é não se deixar aprisionar em nenhuma camisa de força. Afinal, falsos beatos é que fornicam entre si para interpretar o que deseja ou pretende o homem.

Em cima do muro não tem como ficar. Não tem como não vestir uma camisa que seja capaz de definir a que time pertence. Quais são suas cores e sabor que lhe propiciam um aspecto, uma aparência, um perfil de gente, bom ou ruim: nossos patrícios. Ser virtuoso é inocência, já que os homens primam pela perversidade. Assumir, apenas a capa da virtude. A corrupção é endêmica, por isso há que se preservar no poder para combatê-la, custe o que custar – a estabilidade é essencial. Para alcançar o poder é necessária uma reputação de liberal; uma vez lá, que seja avaro, unha de fome, mão de vaca. Deve-se ser pródigo somente com a riqueza dos outros.

Quando se conquista um Estado acostumado a viver em liberdade, há três modos de mantê-lo em suas garras: o primeiro, consiste em arruiná-lo; o segundo, em ir nele residir; o terceiro, em permitir-lhe continuar vivendo segundo suas próprias leis e instituir um governo composto de um grupelho local amigo.

Do mesmo calibre, equivale ao homem que almeja conquistar uma executiva, mulher guerreira ou celebridade, habituada a reger os benditos frutos de vosso reino e desejosa de um companheiro ou colo-amante. Primeiro, ele trata de baixar sua bola ao controlar seu facho, engravidando-a para criar raízes e suscitar a garantia de ficarem juntos. Segundo, ir nela residir, ou melhor, se estabelecer em seu reduto. Terceiro, dar-lhe a ilusão de que continuará vivendo segundo seu livre-arbítrio, mas impondo-lhe um tributo ao fazer de tudo ao seu alcance para criar uma dependência de sua proteção e amizade, sem as quais o mundo parecerá ainda mais hostil.

Partindo do pressuposto de que o poder é masculino e as razões de Estado se curvam perante suas necessidades, ele luta de duas maneiras: pela lei e pela força, ora bestialmente humano, outrora animal. Ao primeiro sinal de melindre, a ternura encolhe e a malvadeza jorra aos borbotões. Porém, é necessário dissimular perfeitamente o caráter de médico e monstro, do se não for por bem, vai por mal. Não é obrigatório ser leal, humanitário, sincero, ter compaixão, mas é fundamental que aparente isso tudo, já que de uma maneira geral os homens julgam mais com os olhos do que com tato: todos podem ver, mas poucos são capazes de sentir.

Cada cidadão que lê *O Príncipe* o interpreta segundo suas conveniências de abocanhar ou conservar o poder para justificar seu comportamento político, abstraindo-se do que mora na vã filosofia – afinal, um governo é julgado apenas pelos seus resultados. As razões de Estado não comportam uma obediência cega ao código moral dos que cantam o hino da pátria a plenos pulmões. A necessidade é a norma e não a exceção, tudo a ser feito é pra ontem, se governa sempre em estado de emergência.

Desvaneço-me deveras ao ser considerado o pai da ciência política moderna, em assistir de camarote a tudo aquilo que preconizei sendo posto em prática. Qualidades boas e convencionais são desejáveis num governante, mas não devem afetar suas ações políticas, pois há que transparecer isenção e não se prejudicar na arte de manipular pessoas e fatos.

Fundei uma moral mundana que até hoje pulula nas relações entre homens, adequada a um mundo composto só de personalidades medíocres e de uns poucos que, não sendo vulgares, permanecem isolados enquanto a multidão aclama seu soberano.

É de tal ordem o prazer desses canastrões em se cercar de aduladores, iludindo-se com tudo o que lhes diz respeito, que só com dificuldade escapam a tal praga.

Não mantêm a palavra se não estão obrigados a agir de boa-fé. Afinal de contas, quem fala a verdade comete uma ofensa – corre o risco de ser rejeitado e, portanto, desrespeitado. A genética reforça o defeito de fabricação.

O presente é muito mais importante que o passado e, quando se vai de vento em popa, se limitam a gozá-lo e nada mais procuram, pois nunca consideram, em tempo de bonança, que alguém vá lhes passar uma rasteira.

Os homens são tão pouco argutos e se inclinam de tal modo às necessidades imediatas, que quem quiser enganá-los encontrará sempre os que se deixam iludir. Acreditam piamente que a sorte é uma mulher; para abiscoitá-la, é imprescindível ser violentamente impetuoso, pois está claro que ela só se deixa vencer pelos que ousam e agem friamente, com ás na manga e máquina de calcular no bolso.

Cagam solenemente para o andamento preciso dos ponteiros do relógio e preferem o compasso de espera, indefinidos entre a cara de quem comeu e não gostou e a cara de tacho.

É hora de as mulheres meterem a mão nessa cumbuca, senão o leite azeda, o doce desanda, vira puxa-puxa, e ele perde a consistência. Elas exigem o assédio do espírito jocoso, destemido, apto a surpreender, envolver e arrebatá-las num redemoinho que dilua a gênese da dominação.

Embora desesperante a insegurança na atmosfera globalizada, admiram-se de eles ainda aporem sua impressão digital na justiça da guerra, a última esperança de quem quer atirar por último quando só resta uma bala na agulha.

Com a autoridade de testemunhas oculares da História, asseveram que eles escravizam, oprimem, enlouquecem, antes que a sorte os derrube no ponto culminante de sua carreira. Aí dispersam, desordenam, despojam, ferem, correm com elas dali. Quando ali é o seu lugar.

No bar. Na alcova do bar onde se reúnem para discutir estratégias de abordagem, conquista e captura do inimigo, antes, durante e depois de festas, convenções e quermesses, em clima de paróquia familiar. Animais no cio que preservam a cultura de que é a penetração do pênis na vagina que vai propiciar o máximo de prazer

– não existe nada igual. Dar prazer é importante, mas em termos, depende do que irá ganhar em troca. Como o outro existe, sente prazer, tem peso, se for para ser complicado, por que logo comigo?

Tecer considerações a respeito de sexo é o esporte predileto. Acham que sua vida sexual e sentimental sempre foi muito bem resolvida, que só conheceram gente completamente desinibida. Veiculam uma imagem de que praticam com muita frequência e bem. Esses marqueteiros raramente falam com sinceridade como realmente são e o que sentem de verdade. Peneiram o eco do coração.

Não possuem uma verdadeira existência, apenas torcem para que a vida dê certo, sem nenhum esforço. Sua lógica de apego à ereção e ejaculação, baseada na sexualidade avassaladora, o torna cativo do orgasmo imediatista e, à repetição incessante, revela a criança que nele reside e resiste a ser consciente de seus atos. Uma simplória confissão de quem não sabe como interromper o moto-contínuo que põe em evidência o seu caráter de robô, que tanto persegue em sua obsessão tecnológica. Acabando por assustá-lo, provocando enxaquecas, gastrites, dores na coluna e o suor estranho em mãos frias que complica os amores à primeira vista, ainda mais se agravado pela dificuldade em mapear o vulcão que aquele corpo esconde.

Fazer uso do corpo deixou de ser moralmente condenável – a nudez castigada, Nelson Rodrigues levou para o céu. O ar másculo por si só não mais convence, reduzido que foi à dependência da performance sexual, para cair na armadilha de que está aquém de satisfazer. Claro prenúncio do temor de um futuro em que a fertilização sem a participação masculina a torna prescindível.

A violência, como reação, é uma forma de resistência à extinção do macho e reparação do caráter efêmero a ele conferido nos dias de hoje. Acostumado ao longo dos séculos a ser desafiado para dar o testemunho de sua virilidade, inércia é a solução imediata em sinal de protesto ao esvaziamento dos relacionamentos, tal como tradicionalmente sempre foram.

Mas é preciso que vocês, homens, enfiem na cachola que o prazer também tem de satisfazer nossa imaginação, incansável maratonista de labirintos à procura de uma saída que requer desejo.

Minhas caras e singelas criaturas, ingênuas flores, desejo é um amor que não se controla.

Boi-sonso que procura nas prostitutas o verdadeiro prazer que não encontra na esposa, mãe de seus filhos, nora de sua mãe. Apenas porque elas fazem de tudo que a do lar não se mostra à altura nem muito à vontade. Desculpa esfarrapada, que não cola mais, de quem se julga o detentor do prazer. Bastam alguns passos dela a caminho da adoração fálica, que ele treme nas bases e se oferece em holocausto para estancar essa hemorragia de não parar de pensar em se libertar dele um minuto sequer, nem em sonhos.

Conta-se muita mentira a respeito de práticas sexuais. Não é tanto assim quanto se apregoa. Proezas emprenharam nossos ouvidos de tal modo que hoje parecem Peter Pan em bico de sinuca, como se estivessem revertendo à moral tacanha anterior aos tempos de Paz e Amor, num surto nostálgico de a virgindade ser guardada só para ele.

Contudo, é o medo que desbarata o sistema nervoso desses adolescentes, e não o puritanismo. Negar-se a fazer o exame de DNA implica em confissão da paternidade e a revelação de quem é o pai da criança dessas tristes novelas. Quantos pais-nossos serão precisos rezar como penitência para deletar o pecado original? E afastar a suspeita de que o sexo a longo prazo não traz felicidade.

A herança de seus pais que viveram como se solteiros fossem, engrossando o cordão dos inconsequentes e irresponsáveis. Do pouco caso que se faz do amor. Quando os primeiros sinais de paixonite aguda são coisas com as quais não se pode brincar.

O orgulho impede que essas baratas tontas implorem a Deus para libertá-los do vício dessa herança cruel, insolência que avilta o bom senso de uma criança de cinco anos de idade. O odor corrosivo desse domínio bárbaro penetra por todas as narinas. Eles já estão podres de maduros para seguir qualquer bandeira, isso se tiver alguém capaz de levantá-la. Os acordes iniciais na corneta eles até podem tocar, mas hastear a bandeira e avançar ainda é um pouco forte. Aptos para os duelos que exigem vigor e destreza, quando se trata de avançar em campo aberto, vacilam, em virtude dos conhecimentos que julgam possuir de nada valerem nesse momento de decisão perante um questionamento implacável. A mecânica antiga se revela inapropriada e a tecnologia atual não reinventou a roda nem o homem, constatação óbvia diante da fraqueza de líderes que não passam o bastão e prolongam o pesadelo.

Quem se negaria a abrir-lhes a porta? Dos sexos conhecidos, nenhum apontaria o polegar para baixo, nem mesmo Júlio César ou Caio Graco.

Penso que meu nome foi invocado por demais, na calada da noite, por dragões da maldade contra santos guerreiros. É hora de despir o santo e vestir outro. Maquiavélico entrou para a História e só quero que me esqueçam.

MAQUIAVELISMO NO AMOR

Afinal de contas, o que se passa no reino dos homens? O que está acontecendo a esses indivíduos outrora fortes e temidos pelas mulheres? Estão doentes ou são portadores de alguma síndrome que desconhecemos? Será que não se dão conta de sua apatia ante os rumos que a mulher empreende e preferem continuar a se banhar em atoleiros?

Nota-se um generalizado receio e desconforto em reação ao diagnóstico de que o sexo masculino está afundando. Se não tomar cuidado, poderá vir a se tornar o continente perdido da Atlântida. Seus registros de macho começam celeremente a ser apagados e a comunidade científica até agora não despertou para a gravidade do fato.

Embora a cabeça que ainda rege o mundo seja de caráter masculino, independentemente do fato de as mulheres estarem alcançando fatias impensáveis de poder, aceleradamente.

Talvez porque, ao atingirem o topo, ainda não prevaleçam nas suas decisões o olhar feminino, ou uma filosofia de ação que transmute as decisões masculinas ao feitio do poder. Um poder que exige maquiavelismo.

E castra a feminilidade, uma das joias raras que as mulheres perderam nos grãos de areia que semeiam a arena onde combatem os homens.

Deus, quando escorraçou o homem do Paraíso, deixou-o imerso em dois dilemas: o de não confiar no próximo e ser incapaz de decifrar o discurso ambíguo da mulher.

Desgraçadamente desandou a mentir, através de seu próprio sexo que, apesar de concentrar todas as atenções, pôs a perder qualquer causa mais nobre.

Mentir? Ora veja! Se a linguagem falada já não vinha expressando adequadamente as emoções sofridas no amor, imagine o vocabulário atual! Mostra-se limitado e frustrante ao não nos suprir de recursos para diminuir o estresse de nosso discurso confuso sobre a roda-viva de relacionamentos.

Restabelecemos a Torre de Babel.

Obrigando-nos ao silêncio resignado ou ao ataque de raiva nascido do inconformismo. Melhor seria teatralizar a sério, vivenciar as delícias da ficção, arcar com as tragédias e dialogar cantando.

Taxariam de irresponsável e insano. Como se a realidade que nos cerca e oprime não falasse por si só. A mãe de todas as bombas, epidemias que oscilam da pneumonia à pedofilia, o roubo via internet, a droga onipresente, uma globalização que desemprega e exclui.

O homem vive um momento apocalíptico em que os privilégios escorrem por entre seus dedos e não mais pode se criar na submissão. Associo-o às práticas políticas de Maquiavel, prescritas no manual de autoajuda *O Príncipe*. Fornido na maçonaria cuja política é a arte do possível e não como as coisas deveriam ser, cresce sob o estrépito do chicote, depois de nascer como um príncipe, segundo os privilégios que a família lhe confere, optando pelo caminho do crime: a opressão. Desconhecendo o amor quando se trata da entrega de sua alma.

Em defesa de sua cidadela, os homens não guardam o menor escrúpulo em ofender o objeto de seu amor. Agem sempre com oportunismo para se salvarem das enrascadas em que se metem. Seja qual for a disputa, enxergam mais longe e são mais espertos. Espelho meu, existe alguém mais bonito do que eu?

Se os fins justificam os meios, natural a falácia e sofismas ao se explicar. Tapam os ouvidos quando o coração fala em lugar da mente. É fundamental aparentar verossimilhança, com uma lógica bem estruturada e consistente, para tudo continuar como dantes no quartel de Abrantes.

Cruel é o maquiavelismo de iludi-la com respeito a seu livre-arbítrio, dissimulando tudo o que estiver ao seu alcance para criar uma atmosfera de proteção e amizade, sem as quais o mundo parecerá ainda mais hostil. Perante suas necessidades, ela cederá diante de razões imperiosas ditadas por uma situação conjugal almejada e acabará por se curvar ao poder. Que é masculino e se encarregará de explorar essa mina.

O criador passou a ser mais importante que sua obra. Todos só querem saber de Maquiavel, segundo suas conveniências de abocanhar ou conservar o poder para justificar seu comportamento perante a mulher.

Abstraindo-se do que mora na vã sensibilidade do sexo feminino. Caso contrário, não completará o percurso dessa corrida contra o tempo. Acredita ser julgado apenas pelos seus resultados.

Ao não possuírem uma verdadeira existência, apenas esfregam as mãos diante da satisfação garantida, inseridos na lógica de apego à ereção e ejaculação. Tornando-os cativos do orgasmo imediatista e da repetição incessante.

Boi sonso que procura nas vadias o verdadeiro prazer que não encontra na esposa.

Só revela a criança que nele reside e resiste a ser consciente de seus atos. Pouco arguto ao acreditar piamente que a sorte é uma mulher. O protótipo do caráter robótico de que é muito mais seguro ser temido do que amado. Os homens acabaram forçados a se refugiar atrás dos muros, permanecendo na defensiva.

Também pudera, o mundo não se livrou do ranço de hipocrisia contra quem fala a verdade, nada mais que a verdade. Agride o bom senso de seus opostos, e ofende.

Investir contra o homem é declaração de guerra, na certa. Dali não sai, dali ninguém o tira. Ali é o seu lugar. Ai de quem tentar! Ele ignora, rejeita e desrespeita, ao melhor estilo bastardo de postergar a investigação de suas origens, para impedir que se descubra a gênese de sua geração e formação. Uma personalidade que veio para reinar.

Adoram se enganar com uma vida sexual e sentimental descontraída, cercados de gente completamente desinibida. Se autopromovem na frequência e na qualidade. Marqueteiros, jamais falam com sinceridade nem exprimem o que sentem de verdade – forjam a realidade de sua história oficial. Uma escuta clandestina de sua intimidade revelará patifarias que nem desconfiamos.

Acostumados ao longo dos séculos a serem desafiados a provar sua virilidade, inércia é a solução imediata em sinal de protesto ao esvaziamento dos relacionamentos, tal como tradicionalmente sempre foram.

Desejo é um amor que não se controla.

Eles não suportam mais essa atitude lisérgica de não parar de pensar em se libertar um minuto sequer, nem em sonhos. Há que estancar a hemorragia.

Mas o sexo a longo prazo não traz felicidade!

A tecnologia atual não reinventou a roda. Nem o homem.

O HOMEM COMO PRECEPTOR

Por que o homem se encanta por mulheres cagonas?

A cagona procede de um pai que a tratava como um biju, orientando-a a se relacionar com homens bem posicionados e se fazer de difícil; a insistência em conquistá-la comprovaria o interesse.

O casamento como barganha.

Se encerrada em casamento que a distanciou da realidade do mercado, a tendência da mulher, depois que se separa, é a de não se libertar do ranço da educação. Só quer saber de ciscar, receia não ser de ninguém e ser de todo mundo. Encolhe-se, a despeito de toda liberdade sexual. Reprime-se, procurando assegurar que não se transformará em "laranja" de relações trânsfugas que aumentam o risco Amor.

As cagonas não são também ariscas, notórias por fugirem logo que se apercebem que estão no seu encalço?

Com seus olhos de gazela, espreitam o mundo à sua volta, assustadas. Parece que soam sirenes avisando do ataque inimigo ao menor sinal de uma lábia em verso e prosa. Se pudesse, a gazela se abrigaria atrás do sol, onde ninguém espera encontrá-la. A salvo dos raios solares que tornam o amor uma ilusão de ótica.

Pela descrição, parece uma maravilhosa criança de pavio curto e nariz empinado, com ar de santa.

Exerce um fascínio irresistível por reafirmar a função de preceptor peculiar em cada homem, para configurar sua área de influência e domínio.

Ainda mais se confessar jamais ter amado alguém numa dimensão transcendental.

Quanto mais esquiva, desconfiada e tímida, melhor para entrelaçar destinos. Se for uma fujona de quem ele deseja se apoderar para ensinar-lhe como viver a vida, não se preocupará em tomar cuidados e não titubeará em ter filhos, mesmo que implique em dividir o mesmo teto com uma mulher absolutamente incompatível com sua personalidade.

Pouco importando se está preparado para ser pai e se irá desarranjar uma vida construída a duras penas.

Partirá para uma relação de fazer prevalecer sua experiência, de forma a amoldá-la a seu feitio. O professor ditará as aulas para a aluna, despertando nela o desejo de construir uma família ao explorar o sentimentalismo barato em nome da ética.

Essa classe de homem não acredita que ela possa extrair da profundeza de sua alma o sublime e a raiz forte que faz arder a crueza dos sentimentos? Fazê-lo perder o compasso para respirar, respirar melhor, livre da angústia que trava e atrofia a naturalidade de nossos mais fortes e legítimos desejos?

Essa classe de homem guarda um único e verdadeiro temor: as avarias generalizadas que a caça pode desencadear no caçador. Em virtude da intempestividade do romântico, que vira o jogo e faz prevalecer o sentimento sobre a razão, a imaginação sobre o espírito crítico. Há que se manter a uma distância segura do que ele interpreta como sentimentalismo exacerbado, visionário, sonhador, desprovido do senso de realidade. Há que se manter a uma distância crítica da paixão, que o faz perder contato com a realidade prosaica e cotidiana. Há que evitar os desatinos cometidos em nome do amor e perseguir o equilíbrio para preservar a postura superior diante da mediocridade reinante. Há que permanecer insensível.

A HORA DO RECREIO

Com sua bagagem de preceptor, descubra a incógnita dessa equação. A título de recuperar um tempo perdido na vida de solteiro, um casal passa a viver junto, atado a um cotidiano de, ao acordar, louvar a Deus por compartilhar o leito conjugal mais uma noite. Trocam ideias enquanto escovam os dentes. Planejam o dia ao tempo em que ele espreme laranjas e ela apura os cuidados na decoração da mesa. Frequentam o mesmo médico, sapateiro, dentista, mecânico de automóvel e astrólogo. Sempre juntos, se desmancham em lágrimas e gritos de decepção no desenlace de novelas na TV. Cabe um filho nessa ilha da Tranquilidade?

De olho vivo no continente que propaga o legado da miséria humana, o homem não se interessa em introduzir o desassossego no espírito harmonizado do casal. Algo lhe seria subtraído de sua intimidade tecida com o apuro de um relojoeiro. O amor e a dedicação emprestados ao cultivo da ilha não podem ficar à mercê de invasores sequiosos de colher os frutos. Construir um cais para desembarcar o filho corresponderia a desperdiçar a conversão de uma mulher à sua causa, no acerto de contas do cotidiano de quem irá tocar a casa e quem irá para a cozinha, quais os programas a serem vistos na televisão e o roteiro de férias. Depois dela ter se tornado sua cúmplice, ao abrir mão de sua voluntariedade e caprichos. Positivamente, ele não foi feito para ser pai – quer ser sempre o número 1 de qualquer fila.

O primeiro dilema do homem, ao sair do útero do pai e da mãe, é aceitar que não nasceu à imagem e semelhança de Deus. É libertar-se do espírito de filho enciumado que bate com os pés no chão porque não aguenta mãe e pai precisarem amar, juntos ou separados. Para poder cruzar a rua e mudar de calçada sem medo de ser atropelado.

É libertar-se da sensação de desamparo e do medo de se abandonar, ao desistir da luta que se avizinha. O homem pressente que, se perdeu a confiança no amor que regenera, o amor deixou de ser a tábua da salvação. Joga todas as fichas na sensualidade, pensando que irá mudar seu destino; afinal, a nossa mente ocupa 95% de seu tempo com fantasias sexuais que afunilam na masturbação.

Daí, não conseguirem se libertar do vício da compulsão sexual. Nem da bebida, da droga, do carteado, viver em função do trabalho, a disciplina estúpida, mentir para si mesmo, não fazer o que inveja no próximo.

A lista é longa, faltou achar que é dono da vida da mulher. Os homens se sentem inseguros em mudar sua própria essência em função do medo. O medo de serem algo com que nunca sonharam em ser.

Preferem ficar atrelados a ideias antigas onde se julgam donos da verdade, ocupando seu precioso tempo em sacar fórmulas miraculosas para tirar os outros do buraco. O que há com o homem que pouco faz em torno do útil, por conta do fútil, pondo a culpa no passado, nos pais, no azar, no destino, no vodu?

Não se dão conta de que é preciso ceder. Permitir que o seu terreno seja semeado para novas colheitas e o retire da condição de senhor feudal, de só querer proteger seus iguais e manter a situação herdada, preservando panelinhas e igrejinhas.

O individualista só ouve a sua própria voz para manipular o amor, as eleições e a fé, prometendo mundos e fundos. Pensando bem, sua ambição não é centrada exclusivamente no dinheiro e no poder: é desejar que gostem e falem dele, é ser conhecido por onde passa, e até admirado.

São pobres de espírito que procuram entender, através da lógica, os mistérios da mulher. Tentam decifrá-la brincando de Esfinge e acabam por atrair o medo de serem devorados pelo absurdo, contraído no escuro do quarto, quando crianças. Eles não aceitam que vieram ao planeta Terra para aprender a se desenvolver. Preferem a hora do recreio para ridicularizar as vocações da mulher, como a de se amarrar em compromisso. O casamento é uma prisão da qual não conseguem escapar.

Como se soubessem fazer uso da liberdade! Perdi a paciência. Parece que se tornaram mais limitados, estúpidos. O homem que se diz ativo acabou por se tornar passivo de si mesmo, como consequência da reação em cadeia que o amor provoca. Com o amor não se brinca.

O HOMEM COMO FILHO DA MÃE

Por que o homem, como filho da mãe, faz da mulher mãe de seus filhos, e perde o desejo quando deixa de ser seu filho? Ao não poder se aninhar mais em seus braços com a mesma desfaçatez de uma criança. Com o atrevimento de quem tem propensão a cometer abusos ao tirar vantagem da mãe. Com a indecência de quem se apossa da casa da sogra, investindo-a na condição de mãe em substituição à sua filha. Com a tendência de multiplicar mães, para dar vazão ao seu furor uterino em romper falsos tabus e gozar quinze minutos de fama como Édipo.

Para que crescer se existem mulheres para servi-lo? Como a gueixa, sempre pronta a massageá-lo nas costas e a decorar a mesa para um banquete ao caráter do senhor da guerra, faiscando os olhos para lhe assegurar que é o homem de sua vida. É o caminho das pedras que, à luz de velas, o homem não se furta a explorar – afinal, as portas ainda estão abertas.

Quando o homem faz questão de apresentar à mãe a mulher que arrebatou seu coração, é um claro manifesto de compromisso, de interesse naquela que deseja ser sua, somente sua, a ponto de confundir os papéis do casório com a entrada na posse do amor querido.

Ele a tem como uma referência de perfeição, um horizonte inalcançável, que trava o seu mergulho numa sucessão interminável de erros que o humanizariam e o poriam *pari passu* com a mulher. Que o livrariam da sobrecarga de se manter no pódio e defender sua pretensa superioridade.

Apesar da pureza com que se procura revestir a sagrada instituição da mãe, não há como negar sua cumplicidade expressiva na construção do homem, ao acobertar seus erros passados na criação, no afã de querer corrigi-los no presente, repetindo a dose, agora mais lúcida, serena e pronta para se entregar e dedicar a seu filho querido.

Filho pródigo da mãe. De tão agarrados, Freud acabará por levantar-se da tumba e querer participar do ágape, com a autoridade moral de quem fez a primeira denúncia sobre a orgia mental de que mães e filhos desfrutam, sem a menor cerimônia.

São homens que não querem crescer, se escondem atrás da saia da mãe, alegam que ela carece de sua presença, máscula ou não. Um inestimável álibi para prosseguirem como Peter Pan encarnando playboys nas boates em busca de um tempo perdido.

Não passa pela cabeça de ninguém que tenha um mínimo de autoestima, que marmanjos procurem a casa de suas mães a pretexto de terem se separado, solicitando asilo. Fugindo do relento em que o mercado do amor nos lança quando voltamos a ficar sozinhos. Invocar a crise, o desemprego ou a inadaptação ao ofício a que se entregou, não serve de paliativo para se entregar, de novo, aos cuidados da mãe que goza de boa saúde.

São os filhinhos da mamãe. Imagine quando o solitário filho descola uma gata e adentra no apartamento da mãe, compartilhando suas escolhas sexuais com o senso crítico materno, sujeito a chuvas e trovoadas.

Tanto que pode rotular a gata como piranha, até por não compreender como uma moça tão boa e ingênua vai se meter no quarto de seu filho doidivanas.

Mães, cujo buraco afetivo por ser preenchido, faz abrir as asas como a senhora liberdade, abraçando seus filhos numa indução flagrante ao crime de cair fora de relacionamentos sem dar a mínima satisfação.

Uma tônica no universo dos homens, que cultivam a fantasia de abraçar com as pernas o mais remoto dos sonhos sexuais, enquanto as mulheres querem fazer amor aqui na Terra para, aí sim, alcançar o Céu.

Esses pançudos senhores caem no ridículo quando pagam pelo aperfeiçoamento estético de sua esposa, de cabo a rabo, para se orgulharem de ser o senhor daquelas terras e de haver dispensado o bordel como válvula de escape, em reverência à sua deusa. Traficam e faturam a imagem da esposa esculpida pelo computador, ao sentir o gostinho da popularidade de sua escultura. O maior barato é dar visibilidade aos seus desejos em sua coisificada mulher, mediante o sórdido pretexto de acender a fogueira das vaidades.

Relações do gênero dispensam até filhos – só atrapalhariam o culto. A propósito, para que mais filhinhos da mamãe?

SER REI

Pais que se anulam em favor do filho aparecer como o mais formoso, vitorioso, digno de admiração - tudo o que não conseguiram ser - e resgatar o orgulho da raça. O perfil de uma geração de antepassados fracassados que não souberam vingar uma família do tipo que todo mundo enche a boca para exaltar seus feitos heroicos, suas conquistas materiais e o seu percurso para sair da pobreza em que eventualmente nascemos. É imperioso quebrar o destino, que mais parece uma condenação, perpétua por entre as reencarnações - se não for nessa, vai ser quando?

Tudo pelo filho. Longa vida ao príncipe herdeiro, o verdadeiro rei que comprova ser o sangue azul vermelho de raiva para ser nobre, nobre de princípios que apenas os segue para dar uma aparência de que rei difere de plebeu e a coroa define o melhor.

Projetam no filho a esperança de resgatar o que tinham de melhor em si, para mostrar, mostrar-se, exibir, ser visto, ser elogiado, evocando a lenda de Narciso:

"Ao contemplar a superfície da água, apaixonou-se pelo que viu, isto é, por seu próprio reflexo, e não mais conseguiu despregar os olhos de sua imagem. Acabou caindo dentro do lago e morrendo afogado, brotando no local uma flor chamada narciso. Acorreram as deusas do bosque e viram o lago de água doce transformado num cântaro de lágrimas salgadas. O lago chorava por ser o único que tivera a oportunidade de contemplar de perto a sua beleza, pois elas corriam atrás dele pelo bosque e nunca o alcançavam."

Sempre desconfiei da beleza de narcisos. Da condição mórbida que exalam em virtude do interesse exagerado pelo próprio corpo e pela não eficácia de sua inteligência.

Quem mais poderia saber se Narciso era belo? Afinal de contas, nas margens do lago ele se debruçava todos os dias e se namorava - no fundo de seus olhos, ele se extasiava com a sua própria beleza refletida.

Narciso afundou empurrado pela força da gravidade, cansada de ele se manter na superfície de elementos tão fortes que comandam a Natureza. Vingou-se da superficialidade de egos que imaginam a vida ser uma só, implorando para que a deflorem.

São mentes daninhas que sonham poder controlar tudo um dia. Cobrindo toda a vastidão de nossos desertos de ideias para brigar por um deus que é de todos. Brincando de guerra, ao dar vazão à violência adquirida em torno da disputa de terras, refinada com o ouro negro que move o planeta.

Mentes megalomaníacas e tacanhas que perpetuam dinastias políticas e empresariais, calcadas, em existindo o poder, que se reserve a melhor suíte para hospedá-lo com a família. O nepotismo é que manda na arte de acolher os outros.

Filhos ungidos pelos pais vergarão sob o peso dessa ficção. Realeza não enche a barriga de amigos plebeus. Converter-se-ão em Alice no País das Maravilhas. Abrirão as portas e não conseguirão entrar em nenhuma. Para reverter esse legado maldito, basta perder a mania de buscar na árvore genealógica algum traço anormal de sangue azul e caráter divino, que o distinga da maioria que também imagina ter um rei na barriga. Basta não mais fazer uso da palavra de rei que não volta atrás. Caso contrário, se não guardar o devido respeito ao santo dia do Juízo Final, rei morto, rei posto.

ESCRAVOS DO MITO

O homem veio sendo forjado, ao longo dos séculos, a partir de estereótipos que só refletem a falta de conhecimento real sobre como lida com as emoções. Desencadearam uma torrente de preconceitos, baseados no julgamento de seus hábitos, que implicaram em generalizações. Duro na queda, bom de briga, peitudo, desbravador, vencedor, levar vantagem, suplantar o passado vergonhoso, dominar uma paixão, domar a fera, eliminar oposição, subjugar o adversário, ser bem-sucedido, superar limitações, persuadir os pobres de espírito.

A figura do herói americano por excelência nos filmes de western, personificada em John Wayne.

E o que não dizer do boxe, luta livre e do vale-tudo, de esportes cuja marca do destino é o polegar para baixo do imperador romano no Coliseu, em pleno chilique de lançar cristãos na bocarra dos leões.

Os filmes de John Ford, por si só, já eram significativos: "No Tempo das Diligências", "O Delator", "As Vinhas da Ira", "Paixão dos Fortes", "Sangue de Herói", "Rastros de Ódio", e, o melhor de todos, "O Homem que matou o Facínora".

Evocativo da conquista de terras e do massacre dos nativos na construção do império de uma democracia que consagra o individualismo no sucesso.

Encarnam o solitário dos caubóis para serem examinados, de longe, pelas mulheres – um charme! Representam o mal-humorado que atrai a incauta a fim de que ela se iluda e tente convertê-lo à causa da felicidade. Interpretam o amargurado que conquista a atenção da semelhante para partirem o bolo de casamento. Assumem ar vingativo, tramando as maiores armações para derrubar quem os rejeitou ou tentou amoldá-los a seu jeito – sai de perto desses!

Gostam de incutir na mulher, por trás da carranca, um senso de lealdade, dever e respeito. Bons costumes e tradição dissimulam interesse e comprometimento, superando qualquer pormenor adverso na sua personalidade – o apreço ao conservadorismo.

No Velho Oeste, ela era tratada como um ser frágil com obrigações estritamente domésticas, cabendo a ele responder ao ambiente hostil e árido.

Atualmente, mudou o sexo frágil e congelou a imagem de sujeito valente e decidido, criada para compensar a falta de talento.

A falta de talento em amar as mulheres pelas quais se declara, jura e se ajoelha perante Deus no altar.

Sem jamais querer demonstrar.

Perante os familiares, que examinam a sua autenticidade. Perante a esposa, que não duvida, por julgar que ele a ama com a mesma intensidade, incorrendo no equívoco de pensar que ele respira o relacionamento da mesma forma que ela.

Ele respira Yin e ela Yang.

O que constitui o maior foco de irritação e desequilíbrio nervoso da mulher diante de um gênero de sentimento, catalogado para fins científicos como sendo a pasmaceira.

O subterfúgio consiste em forjar uma ficção e torná-la real, pois todos engolem a mentira, enquanto se empurra com a barriga a verdade em revista. E para que encarnar a verdade se está se dando bem? Se todos o admiram! Principalmente quando, de público, jurou somente juntar corpos se estivesse envolvido.

Desonrando a sensibilidade da mulher à flor da pele, em nome de uma flexibilidade que maneja até entortar a espinha.

Amantes creem em lendas de, quanto maior o amor, o que mais se deseja é ser admirado e querido, pouco importando se tornarem escravos do mito. É um presente dos deuses, basta saboreá-lo.

E se tornar um presente de grego? Um autêntico cavalo de Troia, que se intromete no seu percurso e muda o rumo nas suas barbas? Sem que seja capaz de interpor um mísero gesto para impedir que a ilusão converta uma paixão vagabunda num bolo de noiva.

Do que o homem tem mais pavor é de cair no conceito, baixar sua cotação, um tiro de misericórdia que o rebaixaria a eunuco. Preferível agarrar-se a mitos e embevecer corações em busca de outros mitos que lhe proporcionem a vida que pediu a Deus.

Quem nada decide, sempre opta pelo pior.

FASCÍNIO PELA PUTA

Um grupo de homens pertencente à fina flor da burguesia, com idade variando de 25 a 35 anos, se reuniu para discutir num período fixado em dois anos sobre que rumo tomar diante da mulher que não para de crescer, igual a fermento em bolo. Coordenada por um terapeuta, a pajelança não definiu se era um conclave, grupo de psicanálise ou simpósio de seres preocupados com os caminhos por assumir.

Pintou algum gay?

O único logo desapareceu, demonstrando uma percepção mais afiada que a dos héteros, visto que não se cogitou de homossexualismo ao longo dos debates.

Passaram a limpo a insistência em associar homens a super-heróis, no resgate de fantasias que ponham o seu reino aos pés da amada?

Não, o que monopolizou as atenções foi a atitude agressiva e decidida da mulher que coloca em xeque a posição do homem.

Eles se encontram perdidos em um labirinto, à procura de uma saída para recuperar a ascendência dos bons tempos.

Diga-se de passagem, labirinto visto da ponte, já que a maioria - sem força moral, pouco aquecida, desenergizada - não se encorajou em percorrer os meandros de seus relacionamentos. Exceção feita a uns gatos pingados que demonstraram uma aguçada sensibilidade que comoveu até a raiz dos cabelos com a sua sinceridade.

A maior parte dessa raça acredita no lema "quem sabe faz, quem não sabe ensina".

Daí a recorrência desabusada à prostituição e a infidelidades, enfiando tudo no mesmo saco.

Embutindo, aí, cunhadas, primas, colegas de infância e turma de rua, companheiras, clientes, a melhor amiga da esposa, e alunas. Sem contar empregadas e paqueras de rua.

Ligações, perigosas ou não, desfiavam histórias com uma riqueza de minúcias que evidenciava a visão estrábica dos homens e reproduziam a mesmice de sempre, muito embora todo início de novela seja atraente. No entusiasmo de suas proezas, confundiam as estações e as equiparavam a piranhas no frigir dos ovos da excitação.

Mas o que realmente importa é o fascínio do homem pela profissão mais antiga do mundo.

O auge da convergência foi quando o terapeuta sugeriu um exercício para se levantar as modalidades de posições sexuais conhecidas na praça. Logo se puseram a rememorar os melhores momentos, orgulhosos de seus decálogos e *know-how*; outros, sem imaginação, se valeram da cartilha. Suscitou tanto interesse que não se trocou de assunto por meses. Os encontros se transformaram em laboratório...

Já sei! Observando onde cada braço ou perna poderia dar a sua colaboração e facilitar o orgasmo experimentado, sob a ótica da geometria descritiva derivada do prazer.

Eis que dá o ar de sua graça no grupo um tipo calado que deixa de bancar o avestruz, inspirado no "Estrangeiro" de Albert Camus, questionando o sentido nos desejos do homem para ter que dispor de tamanho arsenal sexual e o porquê de sua linha preferencial nos conduzir a uma forma de guerra, a relações de poder desnaturadas. Aonde isso nos leva? Ou nos levaria, se fossemos menos primitivos?

O estrangeiro não queria se sentir mais um estranho, um estrangeiro para si mesmo.

Disposto a mexer com a cabeça dos homens, elaborou uma lista digna de respeito – evitando a obviedade do Kama Sutra –, o que motivou reclamação quanto às regras do jogo que deveriam impedir inovações que fugissem à seriedade do tema.

Afinal, sexo não é brincadeira.

Provocou inveja, em sendo o cardápio inspirado no universo sadomasoquista, complementando com o que passa pelo imaginário sexual do homem no que diz respeito a domínio, posse e violência sugerida.

O Marquês de Sade não foi assimilado ainda, passados mais de duzentos anos, causando indignação em cambadas de moralistas que se intitulam modernos.

O estrangeiro os pegou pelo pé – não esperavam tal sorte de barbaridades. À medida que ouviam prazeres metendo os pés pelas mãos, iam se chocando e reagindo como colegiais.

E o terapeuta?

Um assistente privilegiado. O estrangeiro o imitou, calando-se diante da reação infantil dos participantes: "Ué, você já fez tudo isso com as suas mulheres?".

Se bobear, devassam sua vida e transformam num santo inquérito.

Aquilo gerou um sentimento de raiva indiscriminado contra o estrangeiro, disseminando uma animosidade face à extrema competitividade que grassa entre os homens.

Como é que esse estrangeiro pode ter feito isso tudo, quando nada disso passou pela minha cabeça? – devem ter pensado em uníssono.

O ambiente era de alto nível – de hipocrisia. Disfarçaram a aversão em sinal de educação.

Nem umas farpas?

O estrangeiro retribuiu com uma atitude zen, sem se expor por uns bons seis meses, horrorizado com o panorama visto da ponte.

Sei, preparando-se.

No que decidiu abrir a boca sobre o que pensa a respeito de sexualidade, não aliviou nem recuou, equiparando-os a seus velhos pais e avôs.

Eméritos frequentadores de prostíbulos.

Soou como denúncia sobre a indigência mental dos homens. Desconsideraram completamente o teor da imputação de ações demeritórias e desqualificaram o relator da matéria, diante da omissão do terapeuta.

O que significa alinhamento com a maioria.

E quiseram partir para o desforço físico com o estranho no ninho, que não durou nem mais três semanas entre os companheiros de classe.

Então ele foi expulso, pior, banido.

Sem clima para contestar o abuso no tempo gasto a discutir sexo, prostituição, vocação para infidelidade.

Ah, a preferência nacional! Provavelmente, se eximiriam pondo a culpa na mãe ou na mulher.

Todos se arrependeram tardiamente e pediram para que o estrangeiro reconsiderasse.

Fazer mal à mulher significa violar – o estrangeiro fora violado pela insensibilidade de marmanjos sem graça nenhuma.

Podia ter aberto o jogo, dividido suas mágoas, compartilhado as lacerações de seu coração, confessando que procurava um irmão entre seus pares.

Mas vai que dá um azar de cão e se depara com abusados com propensão a rixas, esquecidos que tiveram berço e educação. Todo cuidado é pouco. Não eram dignos de sua sinceridade.

Quem sabe se não eram frutos de uma safra que só agrada ao paladar quando atinge a maturidade?

Deus sinaliza paciência na exploração dessa floresta selvagem com feras, bestas e dinossauros – o terreno é minado, já advertia Lady Di.

Embora a verdade do homem sempre conter falhas, lacunas e até contradições, enquanto funcionar bem para o saber a que se propõe, continuará sendo aceita. Se também satisfeita a exigência de seu poder, mascara os defeitos da fabricação do homem ao longo dos séculos – saber e poder estão intrinsecamente relacionados, adverte Foucault.

E o que foi feito do grupo? A reflexão sobre os destinos do homem não deve ter ido muito longe, não?

Foram imediatamente para o pelourinho, o divã da psicanálise. Aprender o dever de casa, a título de recuperar algumas matérias em que não se saíram bem. No banco da escola se encontraram em sua patologia: o mais levado da turma deixou de ser fiel a bordéis e tentou a paternidade - seu casamento estava estremecido por falta de tesão.

MISÓGINO

Os homens vivem sob alta pressão. De encarar uma maratona para provar sua masculinidade. Em que demonstrem uma independência ilimitada e incondicional. Num caleidoscópio de controle, poder, domínio, status, arrojo, conquista sexual, em sucessão vertiginosa, acionando o medo do fracasso, que faz falhar; o desconforto da intimidade, que expõe suas fraquezas; e ser abandonado.

Todos os meninos crescem sob a ameaça de se feminilizar e serem rotulados de "filhinho da mamãe" ou "viadinho", embutindo sua sensibilidade.

A masculinidade está atrelada à violência, obrigando cada menino a não se esconder atrás da moita para escapar do medo de não ser homem.

Um mundo que faz chacota do homem chorar suas deficiências emocionais não forma; desforma e carrega de angústia a jornada através do reino da masculinidade.

Sobressalta o ego masculino ao instalar o pânico existencial em se afeminar, rejeitando qualquer coisa relacionada à fragilidade.

Por outro lado, o dogma central da heterossexualidade requer que o homem, para se afirmar como tal, se mantenha a uma distância crítica dos outros homens, que não deixe margem à dúvida e não o comprometa.

Aprisionado neste paradoxo, a misoginia se alastra rapidamente como um vírus que chega sem mandar recado aos portadores de uma insensibilidade estoica, os quais decodificam a mulher de hoje, mais forte e independente, como uma castradora que alija e exclui. Impossibilitando-os de exercer sua masculinidade e gerando o medo de ser preterido, podendo chegar ao extremo de desenvolver uma aversão à mulher e à própria relação sexual.

O misógino oprime sexualmente a mulher, somente a atendendo quando lhe aprouver. De nada adianta ela acenar que nem um vagalume, se ele resolve não acender seu interesse – funciona como uma boia que veda a entrada do líquido quando a caixa-d'água já está cheia.

Finge acanhamento, prolongando a conversa na soleira da porta, insinuando um *tête-à-tête,* arremedo de namoro, pois é notório que moça de família não namora no portão. A papa de suor embaixo do sovaco revela que a guarda está baixa, sequiosa de gozar o amor bandido. Sussurra-lhe para abraçá-lo mais colado, como se pudesse; ela pôde.

Todo bom jogador de pôquer é exímio no blefe, mestre ao embaralhar as cartas.

Dá início à manipulação através dos dedos. Finge riscar o entorno dos lábios com a unha, até que o enfie na boca para que ela chupe e morda. Passeia as costas do indicador no bico do seio por cima da blusa. Ameaça mergulhar os dedos por entre as pernas e recua, num vaivém constante que procura sentir o tônus de suas coxas. Dá sequência à ideia fixa de possuí-la nos quatro cantos da casa, a começar pelo tapete persa da sala. Batizou todos os recantos, sobressaindo, no quesito ambiente, o quarto do filho e da empregada. Temperado com gritos esganiçados de dar nervoso em qualquer vizinho e com sussurros de "eu te amo", que convenceriam a mais incrédula das mulheres. Encorajado pelo bico do seio sempre retesado, implora que empine a bunda. Foi uma ordem para que, de tão molhada, delire vertendo mais e mais desejo, estranhando a fera que dormia em sua jaula. Rompido o verdadeiro hímen, a fez sentir-se bonita, maravilhosa, gostosa, ousada e, agora, poderosa.

Esse é o sonho do misógino, em poder revitalizar sua potência ao ver-se como uma águia, mantendo a presa em suas garras e bicando-a como quiser. Bicada de amor não dói? Com franqueza!

Vivemos uma nova era em que a mulher pôde se tornar uma puta na cama para o marido, livre de reparos morais que só visavam conservá-la emparedada na condição de esposa digna de respeito.

Só falta dizer agora que o misógino ajudou a combater esse tabu ofensivo a seu amor-próprio por ela ter sido encarada apenas como uma esposa, com rapapés em apreço à distinta senhora. O misógino delira também de tanto sonhar, embora incapaz de ultrapassar os limites de sua paróquia.

A misoginia surgiu da possibilidade de veto da mulher se ele não puder satisfazê-la, em virtude da cultura atual cobrar dos parceiros a garantia do prazer. Deste modo, a autonomia sexual da mulher requer que o homem seja másculo, mas que também se identifique com a sensibilidade feminina. Dentro de si, as porções masculina e feminina em lua de mel.

A crise de identidade masculina é epidêmica nas sociedades modernas. O homem imprensado entre ideologias feministas e vitimizado pelo culto à masculinidade.

O misógino tem horror à relação tradicional, paz e amor andarem juntos. Descobriu que, não importa qual o modelo de relação, mais cedo ou mais tarde terá de voltar todo dia àquela mesma casa, mulher, sexta, sábado e domingo. A pressão é grande para amar e sentir prazer com essa mulher, com quem nem tudo poderia dividir. Melhor seria trocar segredos com os amigos.

Soa a campainha vermelha avisando que ninguém poderá entrar no recinto e será dado início à sessão de torturas no misógino.

Sofre o crescimento da inapetência em cumprir a contento o papel de macho.

Choque elétrico no escroto.

Pouco a pouco, vê alguns de seus privilégios se desvanecerem.

Pau de arara.

Os efeitos do solfejo dos floreios românticos não fazem mais os olhinhos dela brilharem.

Afogamentos sucessivos e contínuos.

Finge-se de morto para dar o bote no calcanhar de Aquiles dela.

Tapa nos ouvidos, o popular telefone.

Sempre oferecer à mulher juntar os trapos e prometer dormirem agarradinhos, um no outro.

Palmatória.

Declarar-se apaixonado.

Tapa na cara. Não adianta, é sem-vergonha, continua a mentir, a negar: "Não tenho culpa! Não sou eu quem vocês buscam, não sou eu quem fez o mundo assim. Parem de me torturar!".

O misógino não é capaz de amar. Maquinador, calculista, frio; está sempre correndo na frente, movendo as peças do jogo – joga xadrez ao vivo. Relacionamento para ele é uma questão de estratégia.

O que se passa por dentro do misógino?

A agonia de não amar e de não se satisfazer na entrega a que estamos sujeitos quando vamos para a cama com alguém. Substitui a agonia pelo prazer em vê-la gozar várias vezes. Mesmo que tenha de masturbá-la até matá-la de cansaço e senti-la subjugada, a seus pés, prostrada e bamba das pernas, abatida pelo orgasmo. É o único trunfo que guarda na manga para aliviar a inveja do êxtase feminino, mal acompanhado do ódio que se revela ao latejar a veia na têmpora. A ira contida disputa espaço com o orgulho – que pose bacana a do opressor que se julga invulnerável!

O misógino é um voyeur.

Procura, por todos os meios, sexualizar a relação, a fim de que ela se assegure de sua fissura, mantendo a cobiça em alta, bem acompanhada de versos de canções que exaltam o mulherão que ela é. As madrugadas não morrem em vão – sabe aproveitá-las. Chega ao desplante de retardar o sexo matinal – preferência universal – para depois do café da manhã. Bolina na cozinha, recomenda saia curta diante da TV e, no elevador, faz troça com o imaginário dela ao apertar o botão de emergência. De praxe, cinta-liga sem calcinha, lingerie vermelha e sapato de salto alto, o objeto sexual por excelência.

O misógino usa o prazer como instrumento de tortura. Organiza o banquete do prazer à mercê dela. Para dominá-la.

Quem diria que é perito na conversão de recatadas belezas em putas mulheres? Mesmo quando putíssimas com ele, se entregam por completo, pra valer. Sem culpa. Tem a propriedade de desencantar a guerreira que busca o fogo para se consumir nas chamas, hibernada no berço desde que sua mãe resolveu criá-la a fim de que reproduzisse seu modelo de esposa-mãe, revalidado por outros homens que a queriam apenas como uma esposa. Cujo sonho dourado era poder ser frágil e abstrair-se do controle.

Presa fácil para o misógino, portanto.

Foi intencional a maçã entre Adão e Eva. Os relacionamentos existem para desenvolver e expandir o seu ser. Ai de quem abandonar essa via preferencial; morre pagão, a não ser que se alimente apenas de lembranças do passado. Os parceiros que abominamos vivem dentro de nós e nos impulsionam a sofrer experiências opostas aos nossos desejos conscientes, compelindo o ego desamparado a relacionamentos assustadoramente repetitivos.

A violência emocional do misógino é velada, de forma a minar a autoconfiança. De que armas se utiliza para rebaixar mulheres tão íntegras e resolutas?

Apaixonado por Sherlock Holmes, elementar é correr a lupa e descobrir os segredos contidos nos suspiros de desencantamento que nenhuma convivência pode esconder. Indiscutivelmente, a melhor fraqueza a ser explorada é a disponibilidade que a mulher apresenta para construir uma relação. Sempre atenta e disposta a provar que o romantismo não morreu. A querer demonstrar que pode dar mais de si e que a vida é bela - ir até às últimas consequências em nome do amor. E ele lá, filmando tudo. Já pensou em conviver com alguém que o observe a cada minuto, radiografando seus temores e debilidades, suas pieguices e depressões, nos mínimos detalhes, porque o espectro da vida se reflete melhor no que é pequeno?

Com o intuito de usá-los contra a mulher e tirar partido de sua entrega incondicional. Onde ela se afoga no bálsamo de falsos gurus. Ninguém me tira da cabeça que isso só é possível se já nascemos culpados pelo que fizemos em outras vidas e não mais nos lembramos.

O misógino assegura que não há nada de errado. Por vício de sua função de ameba, primeiro nega, depois admite um pouco e, por último, se declara inocente e vítima de odiosa injustiça.

Ameba? Pegou pesado!

Sinceramente, não acho. Ameba tem a ver com parasita. O misógino não consegue disfarçar a insatisfação crescente com sua acomodação. Acusa falta de vibração. Ameba provoca colite e disenteria.

Quem tanto se camufla esquece o rabo, de tão comprido que foi ficando.

De susto em susto, míngua a convicção de que nada pode acontecer a você.

O que elas mais querem é a androginia dos sentimentos: dominador e submisso, poderoso e suave, independente e dependente, masculino e feminino. Perante um juiz de pequenas causas, o misógino preferirá fazer-se de morto, ficar na encolha.

A inveja é o pior dos pecados capitais para o misógino. Inveja nas mulheres a maldita certeza de ser capaz de amar alguém, o prazer idiota que alarga o sorriso e acelera o piscar dos olhos, a realização absurda que extrai de um relacionamento. Inveja as mulheres porque conseguiram libertar a Bela Adormecida em cada uma delas e levantar voo na vassoura das bruxas que as criaram, enquanto ele permanece acorrentado tal como Prometeu, que espiava o abutre comer o seu fígado todo dia e nada podia fazer.

RESISTA O QUANTO PUDER

O amor, esse desconhecido. O homem sempre teve dificuldades para amar e devotar seu tempo mais sagrado à sua mulher de fé, causando repulsa por repetir o fracasso do pai perante seus filhos. Agravado pelo rigor com que avalia o descaso, a frieza, a insensibilidade e o alheamento diante de seus problemas pueris.

Quantas vezes o homem não chora, recolhido num canto de seu quarto, soluçando de propósito para que Deus o escute, ao menos uma vez, reclamando para si o milagre do alvorecer da paixão e enamoramento. Enraivecido, constata que pode passar a vida em branco, sem provar uma mulher virtuosa.

O homem sente uma gigantesca culpa se o amor pela mulher que escolheu para viver junto se extingue, quando cessam os efeitos do encanto do namoro e da atração física, em que passa da condição de professor a aluno. O amor desfeito o aflige e faz transpirar; o tardio arrependimento torna banal qualquer desculpa dada.

Demonstrando que o cavalo, por mais garboso, veloz e esculpido para cruzar vitoriosamente o disco final, também comete asneiras, escorrega e estrebucha no chão.

Quando o amor verdadeiro acaba, aquele em que todos enxergam que um foi feito exclusivamente para o outro, o homem se sente acusado de traidor.

Pelas mulheres.

Falso: sequer se permitia colar seu corpo ao dela resfolegando o bafo do sono que desata o "eu te amo".

Acusado de infidelidade ao não cumprir o compromisso a que se obrigou.

Falso: não é réu de um julgamento moral.

Acusado de deslealdade, ao pôr às claras não ter sido possível ser sincero e honesto.

Não é verdade: de outro modo estaria sujeito a apresentar um relatório pormenorizado de com quem saiu e com que intenções, restando apurar, tão somente, o porquê do olhar embevecido e há quanto dura a tertúlia amorosa com aquela sirigaita.

O amor, esse desconhecido, começa no homem não gostar de ser tratado como criança. Em querer ser homem!

Mentira. Gostava quando sua mãe limpava imediatamente as chuteiras enlameadas pela chuva e botinadas distribuídas a torto e a direito.

Mentira. Detestava que ela lhe desse ordens para não beber e fumar, pois ainda não tinha idade para discernir o certo do errado.

Mentira. Gostou quando ela lhe preparou uma canja fumegante para obrigá-lo a suar e baixar a febre.

Mentira. Odiava quando recordava a que horas deveria retornar ao sacrossanto lar.

Mentira. Sequer enrubesceu quando ela removeu, um por um, os chatos que proliferavam em torno do púbis, numa relaxante banheira de água quente.

O homem que resiste à entrega sempre desperta paixões ensandecidas, ao desencadear o recôndito desejo de elas dominarem esse espírito indômito. Algumas, acostumadas a concretudes, constroem fôrmas para que eles nelas se encaixem.

O homem que não se entrega cultiva um horror a essa gente que só enxerga até onde o olho consegue alcançar, exigindo forma, fôrma, referências, antecedentes, enquadramento, linearidade, boas maneiras, exemplar dicção. Gente que despreza o abstrato, relutando a tudo que não consegue entender, porque demanda o sujeito interpretar. Sabe lá o que é interpretar a matemática, que oscila entre o abstrato e o lógico? De tentar elucidar o excesso de adjetivos que desviam a sua atenção da beleza do substantivo, do concreto que se busca acentuar? Simbolismos, metáforas, poesia, requintes intelectuais que nos molestam porque brincam de gato e rato com o nosso complexo de inferioridade.

Nascido de mãe superprotetora, pai castrador, uma incompreensão endêmica em que nada explica o afeto embotado. Nem Freud explica por que você é capaz de ser afetivo hoje, arredio amanhã e executar o prelúdio e fuga de Bach no último ato.

Tem a nítida impressão de que foi fruto de um coito interrompido, como se alguém tivesse esmurrado a porta no instante do gozo final. Tem gana de explodir aquela camisa de força que mal contém uma vontade de amar diferente daquela que lhe haviam ensinado no lar, na escola e nas ruas. Já está farto de não saber o que fazer, ansioso por ouvir os primeiros estalidos desmantelando a armadura em que se escondeu a fim de se proteger de lobisomens, fantasmas da ópera, mulas sem cabeça, morro de ventos uivantes, que dançavam em torno de seu berço.

Imperdoável adiar o tecer vínculos de afeto e carinho causado pelo pavor de que elas se apoderassem de sua alma. Se não espantar o medo da entrega, o acúmulo de defeitos o levará a desinteressar-se pela vida e restará só. Num asilo de loucos.

O homem que não se entrega parece uma mosca enredada numa teia de aranha, lastimando a ausência da feminilidade, de que tanto precisa.

Lembrando-se do que dizia quando criança, que um dia iria entender tudo. Entender que cada um constrói seu percurso afetivo e sofre suas consequências.

O homem que resiste à entrega despacha a mulher de sua casa na calada da noite, para não ser obrigado a dormir nu, como prefere, enquanto ela se agarra a um felpudo cobertor que, só de ver, lhe provoca rinite alérgica e transpiração. Por se imaginar casado com aquela criatura.

Alimenta uma paranoia de que ela se torne íntima de suas esquisitices, que prenunciam um velho caquético e esclerosado, denunciado pela intermitente tosse seca que dispara na madrugada, acompanhada por um coro de peidos nervosos e da coriza incessante, a apertar, compulsivamente, os botões do controle remoto, pois nada na televisão lhe traz prazer.

Inquieta-se em espelhar sua rabugice ou acumular reclamações que demonstram sua insatisfação existencial de querer ser reconhecido e poder amar. A angústia que comanda a insônia de um ser irrealizado que, na hora de compartilhar, faz questão de delimitar o que é seu e o do outro.

Mas se ninfômanas se aproximarem, aceitam o desafio para não abalar sua autoconfiança e manter a masculinidade em alta. Correndo o risco de a ereção vergar sob o efeito do poder que elas exercem ao exigir que sejam satisfeitas.

Um autêntico zangão diante da abelha rainha.

A troca de papéis o deixa aturdido. Mostrar fragilidade e submissão para corresponder ao prazer que elas esperam, significa entrega no seu ralo entendimento. A um passo da paixão.

Apesar de se consumir na fantasia de que ela colocará à disposição dele o que nunca mais virá ceder a outro, se ele não seguir à risca suas instruções, cairá em desgraça e outro herdará aquele furor uterino.

Arrancam dele o renegado sentimento de posse e o enxotam do poleiro em que cantava de galo, no qual se sentia o homem mais feliz do mundo.

A inexistência de forma no abstrato da arte é a prova inequívoca de que esse teimoso pode desatracar do porto seguro, andar desarmado da sedução e coexistir com a mulher avessa ao arsenal que municia a ilusão de ótica - o anjo mau que exalta os falsos predicados do amor, perfeita imitação da joia verdadeira.

Leva décadas para cair em si e descobrir que, em se plantando ilusões, colhem-se maus resultados - aqui se colhe, aqui se paga.

O enraizado receio de que alguém se assenhore de sua alma pode se transformar numa mania persecutória. Se vier a amar de novo, não quer dizer que ela irá dispor os tijolos da casa de forma a impedi-lo de bater em retirada. Terá que se aproximar dela sem medo, para formarem um casal que transcenda o milagre da originalidade com que Deus nos esculpiu, a fim de distinguir um do outro. Um casal em que nenhum dos dois sinta nostalgia do sótão ou porão para manter sua individualidade.

E deixar de ser uma fraude na vida, nem ser visto como uma aberração.

ORGIA NA CABEÇA

Calígula ordenou às mulheres dos senadores se entregarem ao povo, no maior estupro coletivo de que se tem notícia, numa época em que chamavam de bárbaro quem não pertencesse à sua civilização e falasse outra língua.
São inúmeras as possibilidades do homem que é homem sair de trás da moita no Carnaval, nostálgico de um tempo alucinógeno nos bacanais romanos. A ideia fixa na orgia, que preenche o imaginário coletivo dos homens nos 365 dias do ano.

O que o faz refletir, não sem uma certa angústia, e a cantar "com quem será, com quem será", que ele irá ficar nesse Carnaval. Parte do eterno princípio calcado no erro de Adão, começar só, somente só. Lançar-se no combate corpo a corpo e conquistar o escalpo do inimigo, à mercê de sua fúria sexual que prova, por a mais b, *As Frenéticas*, cantando: "sei que eu sou bonito e gostoso e sei que você me olha e me quer".

Mas nada lhe agrada. Pega dali, apalpa daqui e encosta no travesti que o atrai e assusta. Foge com o rabo entre as pernas e se acomoda no abraço da mocreia, sempre atenta aos desencontros amorosos para colher as sobras. Sente asco pelas mal-amadas - somente bêbadas são capazes de dar um mau passo, livres da soberba. Conversa daqui, beija dali, mas nenhum rosto suado lhe satisfaz.

O Carnaval foi feito para deixar o rei nu, deixar cair a fantasia, por sobre os olhos.

De que adianta o peito e a bunda falarem mais alto, se para chegar naquele roçado vai ter de apostar suas fichas num carteado sem-fim? Quando o que prefere é o jogo de cartas marcadas.

Como as mulheres o obrigam a jogar o ano inteiro para se aproximarem e beberem da água de sua fonte, no Carnaval eles querem descansar e se sentirem como os reis da folia.

Por que, ó Deus, o desejo puro e liberto não alcança o inacessível? O Carnaval existe para soltar a franga, deixar a peteca cair, curtir um amasso, fazer o que nunca teve coragem de fazer, deixar para ontem o que pode fazer hoje, já ter história pra contar pros seus netinhos, afinal de contas, cachaça é água, me cutuca que eu te cutuco, ziriguidum, nheco-nheco, vaaai passar, agora sim, eu vou me acabar! As águas vão rolar!

Rio de Janeiro, Cidade Maravilhosa, cheia de encantos mil, os últimos refrões são cantados, se encerra a hora de um recreio tão feliz, amanhece a Quarta-feira de Cinzas! É hora de apelar, de descer do pedestal e cair na realidade. Não se trata de não querer ficar sozinho, finito o Carnaval. Os sonhos é que não podem cair no vazio. O Casanova tem a mania de deixar tudo pra cima da hora; os amigos irão lhe cobrar se não descolar uma gata de encher os olhos, e fazê-los crer que não é um cafajeste escondendo um coração bandido.

Não lhe saem da cabeça as advertências de sua mãe e namoradas pentelho para abandonar a galinhagem e não mais cair de boca no mulherio. Banir a prática de afogar o ganso. Enfim, cortar a reação em cadeia a cada mulher que o excita. Deixar de ser a cigarra, de viver em função do belo, presa fácil da sedução. De mudar o rumo com facilidade, de o banal tomar o lugar do vital, de prontidão para batidas em busca de almas perdidas, a eleger o corpo como a mente sã.

Isso não leva a nada, meu filho! O melhor a fazer é rasgar a fantasia e vestir um paletó e gravata. E agradar a caretas que não se encaixam na realidade de fantasias.

Ainda são muitas as mulheres certinhas para o homem se entediar e se desentender com elas. A hipocrisia reina absoluta, a despeito de tabus virem caindo que nem folhas de outono. Ou bem se vive a fantasia – a permissividade atual avaliza – ou, de mãos dadas com sua cara-metade, brinca o Carnaval e assiste aos outros saírem atrás da fantasia.

O fato é que houve época, em civilizações distantes, que se masturbava menos. Para que consolo, se a Natureza era pródiga em amor e abundante na colheita? Embora voltada para o cio e reprodução.

Convenhamos: o Carnaval, de fio a pavio, mudou que nem a mulher. Para o homem, nem tanto, que segue cantando: "Vou deixar-te agora, não me leve a mal, hoje é Carnaval!".

REPROGRAMAR SUA MENTALIDADE

Por onde passa a conquista do homem?

Pela certeza de que está a caminho de salvar a vida dela, procurando a conversa ao pé do ouvido com o objetivo de passar adiante a sua mensagem. Investigando os motivos pelos quais o ambiente está carregado, embarafustando-se pela sua casa adentro. A pregar a pastoral dos bons costumes que a protegerá dentro de um triângulo, desde que percorra seus lados iguais, sempre no mesmo sentido. A prever o futuro e a decodificar a simbologia que decorre da correlação entre astros e fenômenos, possuído pelo espírito que devassa o destino do homem. Ao arrogar-se de plenos poderes e arrancar a flor mulher do jardim que não lhe pertence.

Um cavalo de Troia que se embrenha, de mansinho, no território da mulher.

Ao mal conseguir disfarçar a progressão de sua mediocridade, o homem perdeu o escrúpulo. Colhe a esmo flores que necessitariam de estufa, desgovernando sua própria vida. Parece um zumbi que jamais irá recuperar a consciência, ou uma ovelha que procura uma saída para os apertos em que se encontra. Esconde-se atrás de uma impessoalidade, frieza e egoísmo.

O que esse tipo de homem pensa da mulher que varou o século XX?

Elas só estão preocupadas em dar um rumo à vida do homem, como corrigi-lo de forma que se torne adequado a ela. Disfarçam palpitando sobre como deve se vestir. Exigem garantias para ele provar seu real interesse e que as quer assumir. São muito autoritárias e de uma soberba sem tamanho. Querem distância daqueles que não seguram sua onda, dos que fingem interessar-se e depois dão as costas.

Também pudera, eles saem com uma hoje, namoram outra amanhã, chafurdam-se em leitos. Durma-se com um barulho desse ao lado de homens que não livram a cara de ninguém.

Eles contestam com a lei dos costumes, sempre foi assim. A diferença é que elas aprenderam a usar o homem de acordo com seus interesses, incutindo o temor de que a relação afetiva perca terreno para a efetiva, em nome do utilitarismo. O que a tornaria funcional, própria da praticidade de mulheres que sabem se organizar, ao costurar uma política de resultados que prevaleça sobre a perversa lógica dos homens, sobre a sua fria racionalidade.

Só reprogramando a cabeça deles para lidar com a mulher de hoje. Continuam apegados a um discurso de bom mesmo é namorar como antigamente, em que se fazia questão de abrir a porta do carro para ela entrar. Dançar junto era uma questão de estilo. Beber é brindar.

Enfim, de um tempo em que a mulher conhecia muito bem qual era o seu lugar.

Eles a veem demasiadamente aflitas, sôfregas, vorazes, à beira de um ataque de nervos. Eternas insatisfeitas, como se eles nunca estivessem à sua altura. Há que reprogramar a mentalidade do homem.

A CONQUISTA PELA CONQUISTA

Sabe-se que os homens acumulam mágoas que procuram dissimular. Nascidas de mulheres que não foram feitas para o seu bico. Por se verem como toureiros a manusear um jogo sortido de bandarilhas para cravar no cachaço de touros. A investir nas amigas das amigas das amigas que habitualmente se apresentam como ovelhas desgarradas, estranhas ao rebanho.

O desejo do impossível e inalcançável, de fato, reflete o não querer se relacionar, se autoconhecer através do relacionamento. Preferem o desafio da conquista pela conquista, olhando pro seu umbigo, na tentativa de retocar seu retrato e diminuir sua baixa autoestima, a partir de momentos efêmeros em que elas os aceitem, buscando a felicidade no parceiro como se fosse a tábua da salvação. Os homens só não admitem que são uns merdas por uma questão de orgulho, mesmo porque enxergar isso seria o fim deles. Depositam suas expectativas no outro e desmoralizam a troca em busca de maior cumplicidade entre ambos, por trazer no seu bojo uma ameaça de apropriação indébita de sua alma, uma dominação disfarçada de princípio, já que cercada de charme.

São momentos em que a mulher também costuma se enganar, ao confundir amor com desejo. É a manipulação em curso. Pedantes, tratam as que não são para o seu bico como refugo.

Eles confundem tentativa com tentação, numa atitude desesperada e angustiante de achar em armários e gavetas os vínculos com a vida. Embora nem de longe contestem o nexo da vida, corresponderia a mexer em casa de marimbondo. Vaidosos como só eles, desfilam com suas conquistas para se sentirem mais valorizados, projetando nelas o sêmen de sua ideologia, movidos pela sanha canibalesca de comer e possuir a quem pretenda acampar em seus domínios.

Em contraste com uma realidade que a mulher está insofismavelmente transformando. A realidade de que não conseguir jogar nada fora é abrir a porta para a decadência entrar e reproduzir a mesmice de erros cometidos por mães, avós, bisavós e uma seleta linhagem de ancestrais. A realidade de não querer mais apostar numa vida conjugal onde só resta a insistência em permanecerem juntos, embora nada mais tenham a se dizer. É a esperança vencer o medo de arriscar e descobrir que não era uma ilusão, retirando o desejo da linha do horizonte e aproximando de sua praia.

O que está provocando pânico no homem, que reage com uma falsa fleugma ao esboçar um tédio que não consegue esconder a menor vontade de se dedicar seja ao que for, afora o cultivo de uma depressão cevada na desilusão com as mulheres, cercando-se de muros que se elevam dia após dia, reflexo da opção pela solidão no berço de seu umbigo. À espera de que a melancolia bata à sua porta e anuncie que, em breve, irá pousar suas patas no verde do vale que já rumina.

Ah, os intelectuais! Aquela figurinha difícil de "ocrinhos" que quase não sai de casa e passa o dia inteiro trancado dentro de si. Defendem ideologias com fervor revolucionário e descolam teses coerentemente estruturadas para saltar fora do barco quando está afundando. Traem seu passado, sem a menor cerimônia, para decepcionar corações sensíveis e amorosos, de uma credulidade provinciana.

Para posarem de modernos e cagarem na cabeça de jurássicos, a título de demonstrar sua superioridade intelectual sendo extremamente flexível para trocar de ideologia como quem troca de mulher, enganando os aduladores vazios de qualquer consistência política.

Também há os que comandam mesa de bares, espargindo carisma em truques próprios de animador de eventos e ambientes. São vermes que acumulam cultura e viajam pelo mundo afora sem produzir um pingo de sabedoria que ajude a matar a sede das mulheres. Egocêntricos e pavões misteriosos!

Com alto grau de precisão e frieza, os carismáticos fazem a cabeça dos fracos de caráter, pobres de espírito, carentes e mal-amados, presas fáceis para esses oportunistas que desperdiçam sua energia sabendo que irão virar uma caricatura de si mesmos.

As mulheres não aguentam mais a impotência dos homens que só têm fachada para oferecer e fingem que tudo está funcionando a contento. Eles se engalfinham por prestígio, sem se dar conta de que são capazes de vender sua própria mãe. Apenas retocam o verniz da cultura sem se aperceber que o brilho já se foi. Ainda inflam o peito de pombo, só que ninguém mais ouve o que eles têm a dizer. Falta homem nestes homens.

Aumentam os rumores sobre o que o homem faz do seu sexo. Pula de mulher em mulher, mas a sua aparência é de um solitário em festas, na praia, nas ruas. Estão trocando a capacidade de se apaixonar por algo mais volátil – atrações repentinas à primeira vista que se esfumaçam na esquina seguinte.

O que cria barreiras e fomenta o disse me disse de que, em breve, irá virar gay, embora se afaste como o diabo da cruz quando viados começam a soltar plumas e paetês no Carnaval, loucos para serem destaque de escolas de samba.

Ao mesmo tempo em que, em favor da discrição, a estratégia dos gays o incomoda. Ao se misturarem na massa, tornam impossível saber quem é e quem não é. Um enigma que precisa ser esclarecido, já que casar ou ser pai não significa tirar atestado de idoneidade como heterossexual.

Por que tamanha segregação? O processo evolutivo avaliza através de plantas e animais que, quanto mais aptos seus órgãos e estruturas se mostrarem na adaptação com os recursos ambientais e na interatividade com a Mãe Natureza, menor a necessidade de viver entre a cruz e a caldeirinha, a euforia e a depressão, a ascensão e a queda, o ativo e o passivo, na fronteira da recordação e do esquecimento. Graças a uma lei de mutação que renova continuamente todas as coisas e torna o mundo tão sublime quanto no primeiro dia da criação, consagrado na alternância de noite e dia que implica na fatalidade da troca e edifica tudo o que virá a existir de fato. Um não existe sem o outro.

Na verdade, se encontram inteiramente acuados sob a ameaça do poder gay ou de serem transformados em meros reprodutores sexuais. Não confessam o mal-estar reinante em se submeterem à vontade delas, de ter filhos como e quando lhes convier, agora que o DNA resgata a fórceps a responsabilidade da paternidade.

O que, por extensão, contamina todos os desejos e quereres da mulher.

Pesadelos os atormentam com elas de chicote na mão a gritar, num clamor hidrófobo, que os homens não querem assumir nada, relação nenhuma.

Vagabundos é o que eles são, trajados de esporte fino. O malandro das gafieiras do Rio de Janeiro. O milongueiro. O pistoleiro. O aventureiro. O pirata. O playboy. Coletivo: Clube dos Cafajestes. A fina flor da esperteza. A gema do diamante. O veio do ouro. O raio de sol. O rei Midas. O furacão. O cometa. A poeira cósmica que se esvai no caos do Universo. Em busca de Deus para que decifre qual o caráter da semelhança.

ESTRATEGISTA DE RELAÇÕES

Por que os homens organizam a despedida de solteiro com tanto estardalhaço?

Nostalgia do senhor feudal que tinha a primazia de desvirginar a plebeia na sua noite de núpcias. Comemoram a despedida da solteirice com bebedeiras, gritos de hip hurra e lamento pela perda de um companheiro de guerra. Saem à cata de uma donzela impura para que o noivo goze à farta sua última noite, a fim de que pense bem no passo que vai dar, porque irá perder sua liberdade.

Por que se nota claramente, à distância, certa cumplicidade entre esses senhores, a despeito da economia de gestos? Coesos em torno de uma missão e protegidos pela lei do silêncio que impede o homem de virar histérico por excelência. Um por todos, todos por um, o lema dos quatro mosqueteiros.

Gente do quilate de cães que farejam o que lhes convém, para pressentir tudo que possa vir a debilitar o equilíbrio ecológico que reina em seu habitat. Traem a confiança de forma cruel, raivosa, impiedosa e machista. Descarregam sua descrença no futuro com ideias que florescem em teias de aranha. Sua acidez crítica realça a nostalgia de um mundo melhor que ficou para trás, na rebeldia que perdeu as causas emplastradas nos álbuns de família. Desgovernam-se em um rosário de lamúrias que sufocam os valores éticos e morais com os quais foram criados – daí recusarem ajoelhar-se no confessionário e entregar-se ao ato de contrição.

Apesar de inteligentes, são seres ateus e céticos.

Que cultivam um temor de que o passado irremediavelmente os condene.

Qual é o destino do estrategista de relações? Para ele, a vida é um jogo de xadrez. Há que se tornar um mestre no ofício de desmontar líderes carismáticos e tripudiar sobre cultos, arrasando a liberdade de expressão na América e o cubismo de Picasso, para impressionar mulheres carentes de estofo e substância no homem.

Até de sua própria falta de consistência, o homem saca vantagem. O assunto virou tabu para a mulher moderna e esclarecida, que nada tem a declarar, senão acaba sozinha – por faltar homem que valha a pena no mercado. O destino do estrategista é o do bom filho à casa torna. Separa-se e volta ao lar doce lar, refugiando-se outra vez no colo da mãe que, se bobear, torna a sustentá-lo. A antiga babá torna a lhe dar de comer e a tratar de seus assuntos domésticos. Namorada? Complementa apenas naquilo que lhe falta.

Esse privilégio o homem não perdeu. Tem sempre uma enfermeira de plantão que o desentuba e o remove do CTI do amor, sedando-o de forma a apagar os vestígios do passado e fazê-lo continuar a levar sua vida vegetativa, a fim de garantir sobrevida.

Costuma-se chamar de esclerosado o sujeito que começa a ter surtos de esquecimentos e a não dizer coisa com coisa. É uma degeneração cerebral que o entroniza, pouco a pouco, no posto de demente. Surge quando se mostra esdrúxulo perante seus amigos por conta do que diz, faz, pensa e manifesta. Ora quer se vingar, e difama. Ora quer ficar de bem com a roda de amigos e convoca todos para que estejam presentes em sua festa de aniversário, para se reassegurar de que é querido, aceito e a popularidade continua em alta.

O estrategista de relações menospreza a liberdade sexual da mulher?

Declara-se em favor da poligamia desde que seja para atendê-lo. Se namora firme, rompe as relações com o canalha do amigo que tentar se insinuar. Quando adolescente, era do tipo que agradava às mães das mocinhas por sua solicitude e semblante de respeito, não deixando entrever sua real intenção de manipular suas cabecinhas para devorá-las tão logo quanto possível. Casou-se de véu e grinalda, pois cedo se cansou de encarnar o grande caçador – jamais iria superar seu pai.

Como lida com a concorrência?

Despreza o heterossexual convicto, porque o obriga a entrar em contato com seu estado de impotência e farsa na identificação com o sexo que nasceu. Tem o pavio curto, a ponto de sair na porrada para fingir que é homem mesmo, entremeado com uma bem estruturada e premeditada máscara social.

QI ELEVADO

Medir a inteligência pelo QI já caiu em desuso, pois não é suficiente para proteger o homem de sua inteligência emocional e substituir valores caquéticos transmitidos pela genética da família. Pouca serventia tem se o aparato emocional não se renova e não contesta aos apelos dos surtos do modernismo.

Querer falar o que sente e o que pensa esbarrou no pirralho calado na janta, sozinho no lar, isolado na escola, e esquecido no quarto. Não seria de bom-tom interromper a sinfonia orquestrada pela família. Ele que arrumasse um jeito de entrar no compasso e dançar conforme a música.

Se mal-usado o arsenal de emoções, o homem destrambelha, míngua, tolhe a intuição e o emocional emburrece. Foi quando descobriu que não nasceu com vocação para o último dos moicanos. Para o último que sair, apague a luz!

Bastava ingressar em tradicionais redutos especializados, notórios na formação de uma elite de homens extremamente inteligentes, segundo o cartel de cabeças pensantes que se laurearam nessas universidades, instituições militares e centros nervosos de computação. Para um dia pertencer à confraria científica e transitar na alta tecnologia, até ser guindado à fina flor da *intelligentzia*.

São mancebos oriundos de famílias que valorizam somente o intelecto e têm dificuldade em expressar afeto e emoção.

O tempo gasto em simulações, nas equações, na inércia e nos tubos de ensaio os impede de verem crescer um dique para conter seus sentimentos, cuja finalidade é torná-los secos, negar a ternura, estranhar o carinho, a ponto de não mais perceberem de onde vem tanta infelicidade. O que importa é construir a vida baseada na razão, por sobre os pilares da inteligência, pois só assim se produz com eficiência e se chega ao sucesso.

"Não é bonito, mas tem uma cabeça!". Em cada dez mulheres, três preferem homens com perfil de intelectual. Contemplam, extasiadas, quanta inteligência em quem leciona e faz preleção.

Aprendeu a arte de enganar os indecisos na oratória fornida nos livros em penca e cinematecas de arte, onde queimou as pestanas e rascunhou manifestos. Não via nada de mais em se imaginar no topo dando as cartas e conquistando admiração das que enxergam longe. Teoria, só na prática. Quem sabe, faz a hora acontecer. Deixou no arquivo morto ideologias e cartilhas que engessam, lambuzando-se em adesões a amores cuja filiação estarrecia. Sem olhar pelo retrovisor.

Aposto que não se esqueceram de abster-se de dar uma banana para os radicais. Nunca se sabe o dia de amanhã. Em cima do muro ficam como reserva do poder.

Entendem que fazer acordos é fazer política, espúrio é falso moralismo dos puristas, o normal é a dança das cadeiras. Adoram demonstrar seu cabedal, desde o conhecimento até o talento, para injetar otimismo e afugentar as cassandras, na intenção de atrair novos parceiros para construir uma grande e renovada sociedade.

Esquecendo-se da mulher. O homem julga que o eleitorado feminino se guia pela erudição que aparenta, idiomas que fala, colégios por onde andou, e pela estirpe da família.

Mal sabem elas que ele detesta que entrem na sua intimidade e prefere o distanciamento crítico, para que não descubram o mal-estar que lhe provoca o sentimentalismo farto e barato. Piegas demais para o seu gosto.

Um sujeito como esse não sabe amar.

Um segredo guardado a sete chaves. Sua empáfia o impede de admitir tal horror correndo livremente no seu sangue. Para compensar sua omissão, só posando de Deus, senhor da situação, digno de homenagens, concedendo a honra de permitir que ela continue a seu lado.

Suas alunas. Que ainda caem na conversa do sonso. Detesta admitir que elas mandem nas curvas do seu corpo – a prioridade é dele, dane-se a concorrência! Quando envelhecer, será alvo de interesseiras em troca de sua fama artificial. No auge da senilidade, o vaidoso exigirá que ela se vista e se arrume para seduzi-lo.

Não captou bem os desdobramentos políticos da derrubada do Muro de Berlim, visto que só rumina os bastidores da política e suas futricas, não pressentindo o efeito dominó que lançou por terra todos os códigos de valores que modulavam a ética da humanidade.

Também pudera, sua superioridade nunca havia sido contestada. Mas já menosprezava a alternância de poderes na relação homem/mulher.

O rotundo não aos valores masculinos a que estava acostumado considera uma afronta ao seu passado de brilhante intelectual. Retribui com perplexidade e cinismo. Em tudo e por tudo, reproduz o caramujo em sua lerdeza e ao se ensimesmar.

É voz corrente que o caramujo não consegue falar sobre si próprio. Embora de QI elevado, corre o risco de se desinteressar, tornando-se doente da vontade e engrossando o bloco dos assexuados.

O *BON-VIVANT*

O *bon-vivant* é o indivíduo que nasceu para viver bem-humorado, folgazão e espirituoso, a valorizar os prazeres da vida. E gozá-los.

O uso ilimitado do prazer desperta inveja, pois se brinca sem olhar para o relógio.

Na busca de sensações nunca antes desfrutadas.

Há quem julgue o bon-vivant como um mero parasita que tira proveito de situações ou circunstâncias de modo pouco escrupuloso, podendo evoluir para explorador.

São os desprovidos de criatividade e talento.

Já reparou que a mulher não faz jus ao título de bon-vivant? O machismo vigente apenas circunscreve ao homem o gozo desse deleite.

Ao homem é dado o direito de viver como bem entender e entregar-se aos prazeres mundanos, pouco se importando com o que vão pensar.

A mulher é obrigada a pensar duas vezes se, leve e fagueira, der vazão aos seus impulsos preferidos.

A imagem pesa como uma cruz.

O bon-vivant não quer saber de ter filhos. Procura criar e fortalecer nichos, na espreita de mulheres que se preparam para arpoá-lo.

Seu intelecto o torna atraente para mocinhas sonhadoras, que alimentam a ilusão de dar um fim a esse homem das cavernas que estabelece reservas, demarca terrenos e não se entrega com facilidade.

Curioso, enquanto você associa o homem às práticas políticas de Maquiavel, penso que o bon-vivant bebia na fonte da juventude de Sartre e o cultivava como uma plantação caseira de maconha. Ele e Simone de Beauvoir se constituíram num exemplo para intelectuais das décadas seguintes, numa modalidade de relacionamento que não se condenava ao desprazer e insatisfação que o dia a dia pode acarretar ao lado do seu escolhido.

Sartre se inspirava na distinção entre verdade necessária e verdade contingente para uma relação a dois fluir com liberdade e transparência. Com Simone a relação era necessária, ao passo que os romances com outras mulheres seriam contingentes. O pacto pressupunha lealdade absoluta de um para com o outro. Tenho minhas dúvidas se o *bon-vivant* abriria o jogo, quanto mais os casos contingentes.

Sendo o bon-vivant um sujeito sagaz, com a evolução da mulher, o que ele fez para acompanhar a marcha dos tempos?

Procura se mostrar, agora, um sujeito sério e cônscio de suas responsabilidades – o escárnio de fracassados ao persegui-lo pela alcunha de "comedor de gente" pesa na balança. Passou a se utilizar do recurso de encher o bucho de cada mulher jovem com quem se casa para se assegurar de que ela não o trairá.

Envolvida com a maternidade, habitualmente, o coração amolece. E o efeito pensão em cascata não o preocupa?

Enquanto gozar de boa situação financeira, jura não manchar seu nobre caráter; esvaziada a burra, perdulário já foi e a má fama fica por conta do bafo comprido.

A figura do bon-vivant como lorde ou playboy está em extinção?

Não como artista, no sentido mais ambíguo que a arte nos enleva. Amarra o burro à vontade de mulheres que perfazem a metade de sua idade para rejuvenescer, renovar e renascê-lo, criando seus netos, ou melhor, filhos, aos quais empresta menor rigor e maior compreensão.

Enquanto elas mandam e adquirem experiência, bancadas por eles.

O *bon-vivant* concebe suas contemporâneas como neuróticas, amargas, necessitando parecerem modernas mas permanecendo tão antigas ainda. Complicadas para construir um futuro promissor. Um corpo durinho e bem-acabado, o mínimo que se pede.

Exceção honrosa ao dele.

O *bon-vivant* faz questão de ressaltar que, em razão de se encontrar na sua plenitude material, a maturidade aflora. Uma maldade se o brilho de sua inteligência não puder ser compartilhado – o mundo perderia!

Quem haveria de dizer que o bon-vivant abandonaria o amadorismo de filosofar sobre relacionamento com pitadas de sexo? Para acabar reclamando que elas estão brincando com a verdade e abusando da falta de equilíbrio. De light se tornaram amargos, pesados, indigestos.

Ao trazerem-no para a realidade, maquiavelizou-se e perdeu a graça de um garoto que não cresceu, de um menino que apreciava ser bem cuidado e querido. E se transformou numa raposa atrás de suas galinhas, sem se dar conta que não é mais o galo a cantar em seu terreiro.

O ÚLTIMO MALANDRO

O último malandro desapareceu, extinguiu-se como espécie. Seja o personagem-tipo do Rio de Janeiro no meio dos pobretões, na virada do século XIX, às voltas com a capoeiragem e valentice - o malandro da Lapa. Seja o malandro agulha, de bigodinho fino na sobrancelha do lábio superior, cabelo ondulado assentado à custa de Gumex, cigarro no canto da boca, sempre convidando para tomar um cafezinho, e não pagar. Fácil de identificá-lo: a magreza raquítica, própria de quem passava fome e não confessava, e o abuso do pão com manteiga no botequim denunciavam. Bebidas: socialmente, a cerveja, e para afogar o ganso em bordéis, aguardente e Cinzano. Dançava que nem um Fred Astaire, com uma lábia de encantar sogras, de paletó e gravata cheirando a perfume, andando arrastado a catar virgens encalhadas, valorizando o tempo que se esfumaçava nesse boêmio sensual.

O último malandro foi o precursor do Clube dos Cafajestes, que imortalizou em Copacabana a esposa no lar cuidando dos filhos e da comida, enquanto o cafajeste colecionava mil e uma amantes, para contar vantagens sobre o que fez e está por fazer.

Foi o patrono dos clubes de *rock and roll*, a verdadeira fixação das menininhas do subúrbio que acorriam aos Elvis Presley, Little Richards, Chuck Berry, *twist* e *cha-cha-cha*, para se libertar da virgindade. Em troca de quinze minutos de fama com roqueiros, que nem ficaram tão famosos assim, mas se encarregaram de remover o pior entulho autoritário que se meteu na vida das mulheres: o de manter-se intacta e preservada para o marido e perder sua identidade.

Uma verdadeira malta que não alcançou o tope do dedo mindinho de Madame Satã, artista homossexual e famoso capoeirista, que dava porrada na polícia. Só ele podia dizer "eu sou viado, mas sou homem!".

Hoje, os cafajestes se tornaram crentes a pregar para os condenados que não repitam seu exemplo, agora que broxaram. Invocam Jesus Cristo em suas canções, *ad nauseum*. Suicidam-se porque ignoraram o efêmero do sucesso, ao ignorarem os conselhos médicos para cuidar melhor da saúde. Tudo em nome do sexo virou tudo em nome da decadência. Que remédio, se o casamento, que seria uma solução reconfortante e reparadora, de tão enxovalhado, não merece mais crédito!

Foram substituídos pelos nouveau riche que embaralham ficção e realidade nas telas de cinema e TV, radicalizando mais, cada vez mais, ao saírem do anonimato e realizarem o sonho de serem famosos. Esses novos atores enriqueceram a fauna dos machos.

Só se for para "levar banho", ao tomarem o golpe do "boneco" de mulheres que se aproximam como que não querendo nada, e engravidam. Bastam cinco minutos, se tanto, no banheiro de uma festa. Preocupam-se em sacar adiantado no futuro de seu filho, à custa da celebridade do pai, o que lhe abrirá as portas e, se tiver sorte, o ultrapassará, ao pegar uma carona na mídia escalando manchetes e capas de revista.

O público baba em ver seus ídolos de barro ganharem forma e consistência na arte de manipulá-lo, o auge do entretenimento.

Resta aos homens se protegerem com a vasectomia ou restarem obesos, em meio a cervejas e croquetes, colecionando filhos de mulheres cada vez mais jovens e bonitas. Provando que o sonho do príncipe encantado foi substituído por furacão de saias, bólides, verdadeiros aviões, sozinhas ou mal acompanhadas, que estão comendo pelas beiradas o mingau em que se transformaram os homens.

Saudosos dos tempos do golpe do baú, aplicado em meninas-moças com a conivência de pais que, ao se assegurarem de que a procriação e o lar doce lar geravam a falta de horizontes e o consequente embrutecimento, tratavam de sair à cata de genros que tocassem seus negócios e filhas.

O VAGABUNDO DE PRAIA

Todo santo dia o vagabundo de praia bate o ponto na água do mar ao se benzer, agradecendo a dádiva de Deus por permanecer vivo mais um alvorecer. De raquetes de frescobol na mão, a procurar parceiros, ele nem se abala em constatar se ele faz sentido - colecionou fracassos ao pretender ser um homem sério e coerente. Qual o seu ganha-pão? Só Sherlock Holmes pode elucidar tal enigma.

De barba densa a caminho do perfil de um guru, espelhando um sonâmbulo infectado pela preguiça de uma lesma, cuja sunga puída perdeu a elasticidade que realçava a intumescência priáprica comum aos jovens e passou a exibir uma maçaroca que se confunde com o escroto do homem ou com o homem escroto, tanto faz. Se escanhoasse a barba, evidenciaria sua falta de vigor e seria confundido com um preso em campo de concentração.

A prisão reflete a falta de objetivos, a visão caolha e o horizonte nublado. De quem prende e se deixa encarcerar, já que a sociedade não inventou coisa melhor que a penitenciária nem a prisão entre quatro paredes de Sartre.

Nem formoso era o vagabundo de praia. Só que, como o adorável vira-lata, todo mundo tem uma vocação para adotá-lo.

A alma de vagabundo grassa em nosso coração piegas e bocó, inspirado no dramalhão da vida que protagonizamos desde o primeiro canto do galo da madrugada.

Como o vagabundo não conseguiu decifrar seu mistério, perdeu o escrúpulo que lhe restava e tornou visível o abutre que nele habitava, ao se alimentar de restos de relacionamento.

Sua versão de "O Médico e o Monstro".

Restos de mulheres exauridas por afetos que não se materializam ou por fantasias que se desgastam na maresia de oceanos que desenham cartões-postais de amor. Mulheres frustradas e carentes não o desejam, mas o vagabundo se posta como seu solícito servo, desde o parafuso que não se encaixa até como encontrar aquele beco sem saída no cu da cidade, acumulando as funções de confessor e consultor sentimental.

É irrelevante ela não considerá-lo como um igual, pois a vagina é o seu limite e o escalpelo a ser conquistado, a glória. Seu senso de imaginação não conjuga com fidelidade. Já perdeu todas as esperanças no amor, de sequer construir um castelo, muito menos na areia.

Contudo, atenção, sabe explorar a maternidade latente nas desorientadas de plantão, tanto quanto o Casanova tira proveito de corações que vacilam.

Um dos crimes mais hediondos que o homem perpetra contra a mulher é quando nela desperta a fantasia adormecida de ser mãe – por vezes sufocada no berço –, sob o sórdido pretexto de mantê-la em suas garras e controlar seus impulsos, ao engravidá-la.

E ai de quem recebeu uma herança malandra, botou as mãos no resgate de uma dívida impagável ou fez jus a reforço de caixa culposo de ex-marido! Ele morde que nem tubarão ou hiena que não rejeita vísceras. São ratos que roem e corroem, agora que descobrimos possuir semelhante cadeia de genomas.

O vagabundo é o próprio ator que faz figuração e compõe o cenário numa roda de mulheres em festa ou num bar, para que elas não se sintam como mercadorias numa vitrine. Vive o duplo papel de se fingir de homem e funcionar como isca, a fim de atrair os verdadeiros interessados no sexo oposto.

Atribuir fracasso ao vagabundo de praia é temerário, pois a decadência se espraiou pelo mundo afora de tal forma que já nos acostumamos com sua onipresença no direito de ir e vir, no consumismo, na globalização que extinguiu ideologias de vida, na doutrina e conduta dos donos da religião e seus prepostos, no exotismo das preferências sexuais. Em progressivo acasalamento com uma ética coagida a suprir necessidades com as quais Deus não nos capacitou. A qualquer preço.

Resta sermos felizes nesse casamento em ambiente que perdeu o respeito, a exemplo de casais que comemoram bodas de ouro. Considerados óvnis.

SONGAMONGA

O songamonga nasceu de manipulações em torno de Jung: "quanto mais predomina a razão crítica, mais a vida se empobrece". Fazendo uso da esperteza para deturpar princípios a serviço do gozo do prazer de sua ética. Interpretou freudianamente, no lugar de vítima, "quanto menos os pais aceitarem seus próprios problemas, tanto mais os filhos sofrerão pela vida não vivida de seus pais", o que o levou a ser avoado na convivência com os outros. Perdido em sua identidade de nunca conseguir realizar suas tarefas comezinhas, quanto mais enxergar fim nos seus propósitos. Um ser indefeso e confuso necessitado de tutor, senão à deriva permaneceria, cujo grau de comprometimento com a realidade do relógio exige que sua mulher o teleguie. O dia seguinte é o seu maior desafio, visto que hoje é melhor pitar um baseado, metido em um calção bem largo, de pés descalços em contato com nossos antepassados silvícolas, curtindo uma cachaça e discutindo a importância do eneagrama.

Que eu saiba, eneagrama é um sistema que permite mapear com segurança os tipos psicológicos básicos do ser humano, permitindo que tomemos conhecimento do que somos e de nossa relação com o Universo. Na intenção de trazer um sopro de felicidade, nos auxilia a desvincularmos de repetir as mesmas atitudes, pontos de vista e hábitos, que acabam por chatear a todos e, por último, a nós.

O songamonga procura um sapato velho para acomodar seus pés cansados de anos de beira de estrada e se tornar o abrigo seguro no qual uma mulher possa depositar todos os seus sonhos de encontrar um marido, construir um lar e, se der sorte, ter um herdeiro orgulho da raça.

Vivem da prática do estelionato de sonhos.

Disfarça o zero à esquerda na preguiça. Faz-se de zumbi como um gato que não mia e percorre os recantos da casa sem que ninguém se aperceba.

Não são eles que zombam do povo judaico-árabe, exaltando sua capacidade de negociar, de comprar o que for necessário pelo preço mais barato, para se inserirem no que a normalidade tem de mais medíocre?

Songamonga é o próprio sonso. Fingido manso. Bonzinho e cordato.

Por conveniência, quando a situação é favorável.

Por trás, dá vazão ao vampiro que ataca de dia. Cautela com seu perfil corcunda, sempre pronto para o bote da cobra, e engolir o boi. Leva vantagem sobre o escorpiano, que pica mortalmente desconhecendo o terreno que pisa, sendo vítima de seu próprio veneno.

Corre à boca pequena que alguns homens não podem ter amantes – mal conseguem dar conta da esposa. Falta-lhes vitalidade e energia, sem o que a infidelidade não se cria.

O songamonga é apenas um pinto molhado na chuva, de inspirar pena, não vai dar boa canja! Filosofa como todo bom alemão; sua cultura perpassa pelos inúmeros arremates e dobras de sua personalidade; saca de seu inconsciente coletivo Beethoven, Marx, Nietzsche e Hitler, para ensaiar um protótipo de homem que não traia, não judie e não destrua amores castos e amigos irmãos. Vã filosofia!

Não tocam a boiada sozinhos, inspirando o sacrifício de mulheres corajosas em dar um jeito nesses palermas, em arrumar a vida de quem se nutre de artimanhas com voz em falsete e nariz de Pinóquio. São mulheres crédulas num amor e paixão depositados no mesmo homem, que inundam seu coração de fé. Esse, o verdadeiro milagre!

E aí poderiam descansar em paz, chegar em casa da padaria com o pão quente e o queijo fresco, tendo um companheiro, à sua altura e à sua espera, para abrir a porta! O songamonga. Um santo do pau oco.

FAZ UM TIPO

É do tipo que adora se exibir? Que tem necessidade de mudar constantemente de visual? Rabo de cavalo, brinco, bata, sapatilha chinesa, bandana.

Precisa de plateia, mas dispensa rasgos de admiração em favor de seu estilo. Por ser intencional em gestos e palavras, diria que ele adora se expor. Não com o intuito de chocar quem quer que seja, e sim adaptar-se à realidade fascinante que cada mulher encerra, a fim de dar vazão à fantasia que só o amor contém.

Que despropósito!

Despropósito pode perfeitamente se casar com amor.

É do tipo que tem um vozeirão que obriga todos a virarem a cabeça para saber quem é? Que ao dançar adora uma presepada e esbanja piruetas?

Para o suor transbordar e respingar nos olhos de quem observa abestalhado. É o próprio *latin lover* que ama sapecar um beijo de entortar a espinha na gata escolhida para iniciar o namoro no meio da festa. Para que todos vejam e se sintam avisados de que, a partir daquele momento, ela pertence ao galã. Embasbacado, delira: "Ela é minha".

Deixe escorrer a mão por cima das rosas e veja se descobre o espinho. Com que orgulho coleciona no seu currículo histórias e mais histórias para contar!

Ele choca porque quebra padrões com seu estilo afetivo truculento. Tinhoso, esmera-se na aspereza da voz para tirar do sério quem custa abrir a boca. Adora confrontar o sol regendo o dia com sua batuta, que ainda arranca elogios graças à consistência, sabor e quantidade que resistem à ação do tempo.

Um possessivo difícil de conviver. Uma personalidade forte a querer impor que sabe amar de verdade.

De forma muito mais autêntica do que a plateia que o acompanha nessa novela interminável. Seu ídolo é Dom Quixote. Julga que as arremetidas quixotescas contra as pás dos moinhos foram um ato falho de Cervantes, que não suportou a magnitude de seu herói e acabou por desacreditá-lo.

Se eu tivesse coragem para lhe dizer uma ou três coisas que sei a respeito dele! Mas eu tenho medo de cara feia, de levar um chega pra lá. Sei que eles não aguentam ouvir sequer meias verdades, porque soam iguais a um tapa na cara.

Um gesto civilizado de virar as costas e não escutar tamanhos disparates é uma reação à altura. O dia em que o homem estiver preparado para baixar a cabeça, com humildade e resignação, e sentir que a voz vinda do cosmos fala o mesmo idioma que a voz emanada de sua alma, ele se humaniza. E perceberá a diferença. Tanto, que se livrará da pecha de animal que o persegue feito um cão vadio.

Esse tipo só funciona se for bajulado. Ouvindo, com muita atenção, as maravilhas que tem a dizer. Um egoísta de marca maior! A vida tem que ser levada do jeito que ele quer. Só um sádico pode tirar tanto prazer da arrogância. Ele simplesmente ignora as mulheres.

Já o incluíram no índex do "relacionar, nem pensar". No fundo, coitado, é extremamente sozinho. A vida trafega em mão única em que ele é o ponto de partida e o de chegada. O orgulho impede de reconhecer que a maldição de não saber amar está presente em cada poro de seu corpo.

Vibra com o seu descaramento de falar besteiras do tipo "a maioria das mulheres tem prisão de ventre porque ainda não resolveram seus problemas de repressão... que vêm de longe".

Ele faz pouco caso da mulher que tenta organizar sua vida, pôr cada coisa no seu lugar, endireitar sua conduta. De que adianta se é a imagem viva da aposentadoria precoce do galinha?

O GALINHA

Não decorreu tanto tempo assim para nos esquecermos de que o sexo antes do casamento era um ato de desonra que a infeliz virgem cometia contra os pais, a caminho da prostituição. Reparação, somente com as bodas. Havia que insurgir-se contra o namoro no portão, o namoro na sala sob o badalar do carrilhão anunciando os próximos quinze minutos, ante a vista grossa da tia solteirona. Olha os bons modos, menina! Apertões, encosta daqui e dali, esfrega, sarro – nem sempre com o noivo. Havia que coibir a mulher galinha antes que ela subvertesse os bons costumes. Somente apressando a hora de casar e o bom partido, abrindo a porteira para a filharada.

O tempo não voou tanto assim para nos esquecermos de que o homem procurava dar à amante preferida um tratamento especial, condigno de uma segunda esposa. Alugava um apartamento para os encontros furtivos, instituía a passagem obrigatória e concedia uma pensão a título de purgar seus pecados e manter as aparências.

Não deu outra. Implosão. Queimaram-se os sutiãs, a mulher ganhou a carta de alforria para também trair, e abandonar. O teste do DNA foi o tiro de misericórdia no senhor de engenho e no seu séquito de escravas do desejo.

A imagem do homem como gladiador na arena representa o ardor com que se entrega à competição. Ele encarou a libertação da mulher como um desafio, quando repercutiu no terreno do sexo.

Se já levava nas costas a fama de galinha, carregou nas tintas e reforçou a imagem de putanheiro e libertino. "Pois se elas agora dão pra quem quiser, uma, duas, três, mil vezes, seja qual for o estilo, *crawl*, borboleta, peito, costas, de bruços!", assim se justifica. Desnorteou-se completamente, amaldiçoando-as com o desgaste que tal postura irá lhes causar: "O povo fala da mulher que passa de mão em mão, queimando o filme de seu passado, sua tradição, suas raízes. Como penitência, a gravidez indesejada, penosas TPM tirando sua autonomia e a sensibilidade a impedi-la que desempenhe o papel de garanhão".

Isso é uma tentativa velhaca do homem para congelar a mulher. Parada, no tempo e no espaço. Sofrendo ao lado daquele traste que merecia se recuperar numa casa correcional, se não fosse tão velho de cabeça.

Não faz mais sentido a mulher reclamar que o homem é um incorrigível galinha. Ela é livre para largá-lo a hora que bem entender. Para deixá-lo à mercê de si mesmo. A depressão é um mal que dá e não passa. Se aceita ficar com ele, é porque quer, ninguém a obriga. A não ser a esperança de o futuro vir a reformá-lo. Apressemo-nos em expurgar o galinha do dicionário. O vulgo ficou restrito apenas às mulheres com vocação para a autopunição e humilhação – daí retiram o prazer.

Esse é o grande dilema da mulher. Hesita em dar esse passo que a fará se despedir em definitivo das trevas.

Enquanto elas vacilam, eles prosseguem aprontando. Para deixar claro que não precisam delas para nada, que ainda são ativos sexualmente e que o desejo é um condicionamento ao qual estamos escravizados. O homem fecha o tempo se prevê que um dia não irá aguentar nem a si próprio, com seu gênio.

Não espalhem, mas as mulheres reclamam que eles não as procuram mais - veladamente os acusam de estarem broxando. O que as faz perder as estribeiras, não se segurarem nas tamancas, chegarem a um impasse que não anda nem desanda - que não fode nem sai de cima.

Em breve, o homem não conseguirá mais fingir, para mulher nenhuma, que já foi um grande amante e conquistador.

E reclamarão que as mulheres de hoje não têm a mesma moral das mulheres de antigamente. São ambiciosas demais e não têm escrúpulos, não titubeando em se projetar profissionalmente às suas custas, nem que tenham de trepar com eles. Que há de mais com isso? Não tira pedaço!

Esse tipo de homem só relaxa quando o barbeiro põe panos quentes no seu rosto escanhoado. Para não encarar o impasse e precipitar a extinção do homem, na transição do velho para o novo Ser.

TRAIÇÃO

Em passado recente, os homens matavam em nome da honra ultrajada e eram absolvidos. De cara limpa, magnata ou entregador de pizzas, atiravam no rosto para deformar a beleza que os atraiu, quando ela ousava trocá-los.

A pior traição é aquela que fere princípios, afronta a ideologia de vida, desrespeita a amizade. Até a traição política foi minimizada hoje em dia, em virtude de as ditaduras estarem se extinguindo em paralelo com alianças e adesões girando em torno de interesses lobistas e corporativistas, não mais de ideologia. Em nome de democracias onde não se consegue debelar a injustiça.

Contudo, a traição originada na opção de amor feita em favor de um terceiro é encarada como o fim do mundo para quem restou só e abandonado.

Quando simplesmente é natural acontecer no instante em que o amor acaba.

Instante, período, meses ou anos?

Por quanto tempo mais você permanecerá na sua casa diante de uma chuva forte e contínua que provoca deslizamentos na encosta do morro? Quanto mais irá aguardar para ser soterrado? Assim foi o amor, assim é a separação. A traição, a gente sabe de véspera.

Só que a negamos para evitar encarar a separação de quem ainda amamos.

Chora-se, descabela-se, rasga-se o coração, mas o amor pode ser perfeitamente substituído por um igual ou contrário. Não digo amanhã, porque pode ser hoje. A liberação de costumes facilitou o descarte e afrouxou o apego, por menos romântica e chocante que seja essa impressão. Ademais, o instinto, a inspiração, a poesia, o acaso, o incidente, desviam seus olhos para encontrar aqueles faróis, diante de si, que iluminarão sua vida daí em diante.

A falta de afinidade, a rispidez, o desencontro na cama, a intolerância e as obrigações conjugais contribuem para a decantada traição.

E a gozação em torno do corno. Corno só existe para quem é casado com o casamento. É figura de retórica, uma ficção para convidar o leão a dormir no leito conjugal, ou invocar um fantasma para atrair pesadelo.

E não discutir o relacionamento.

Somos reféns do instinto pelo fato de sermos ainda animais ou, dourando a pílula, ainda termos o pezinho no irracional. Reféns do prazer do sexo. Do envolvimento com as peculiaridades de cada parceiro, sejam sadias ou neuróticas, dependentes do desejo.

Disponível para o romance, o beijo apaixonado, a criatividade emprestada à luxúria e à satisfação em brincar de namorar a sério. A exemplo de quando se janta bem e se reconforta com o alimento que o aquece por dentro, a tal ponto de capacitá-lo a iniciar uma renovada história de amor, sólida como o tempo que urge e transcorre rápido como um raio.

Traição é só e tudo isso?

O amor é a vanguarda; o sentimento de traição, o atraso.

Quero ver quando chegar a sua vez!

Sofri como todos, enquanto não voltei a amar de novo!

O PADRE

Por que o homem é um sujeito tão defendido, enfiado em sua armadura, à espreita de ataques contra sua fortaleza especialmente construída para se resguardar de males que o atocaiam?

O que o homem jamais esquece é a crueldade na infância, seja proveniente de seus pares ou de seus pais. O que feriu, deixa marcas. Machucado, descobre que vem mais chumbo grosso por aí. Urge defender-se para não ser alvo de gozações e brincadeiras inconsequentes que apenas visam desmoralizá-lo.

Mas não acaba virando uma paranoia?

A autogestão é do que o homem mais se orgulha. Ele simplesmente desliga o circuito da paranoia e adota uma postura de politicamente correto.

Prenha de ética. Moralista demais para o meu gosto.

Um padre, se puser uma batina. O bom moço. Voz mansa de quem tem vergonha de se afirmar, ou mostrar ideias passíveis de rejeição imediata. Gestos calmos e comedidos, atitude de quem vestiu as sandálias franciscanas, uma discrição que vende boa educação. Uma solicitude que não beira o servil mas põe à disposição o *kit* de boas intenções para atrair donzelas desacompanhadas, sedentas de um confessor porquanto descrentes do compromisso no amor.

O que lhe garante chover na sua horta.

É um realizador de fantasias das mulheres. É o que ambiciona e com que se diverte. Com as desconsoladas que levantam polêmica sobre o dia a dia ser mortal para o amor... e depois se calam, apaixonadas. Com as covardes que sufocam na fonte o dom de amar, flagradas numa recaída... e depois somem xingando até a última geração. Com as que mandam, dominam... e depois estacionam no pronto-socorro psiquiátrico.

Sem contar com as futuras promessas que ainda se mantêm dependuradas no lustre.

O padre se aproxima com uma conversa que inspira confiança, bondade e companheirismo. Sabe esperar a hora do beijo. Jamais irá pressioná-la para que se decida logo – escaldada, receia que penetrem na sua intimidade. O tempo passa, ela acabará cedendo para não perder o amigo e voltar a ficar só. Ao fazer as vezes de Jeremias, o Bom, transforma o amor em amizade, com pitadas de sexo, de maneira a não se envolver. Saem juntos um par de vezes e apagam a lousa como se nada tivesse acontecido, tornando-se apenas bons amigos.

E assim ele vai, saltando de mulher em mulher. Aposto que namora e troca de mulher a cada mês.

Iludido com o suposto sucesso, não se prende a nenhuma. Elas até que se saciam em orgasmos espasmódicos, mas se revelam frias ao descrerem do sublime nos sentimentos.

Por que ele nunca se casa? Um homem tão cheio de predicados e sozinho, onde ninguém aporta por muito tempo, aí tem! Quando um homem está dando sopa, ou sobrando na turma, atenção, mulheres: baby-sitter de marmanjo é o que lhes espera.

Ele as serve apenas como posto de reabastecimento. Orgulhoso de si, sem saber que é um mero *pit stop*.

Tira casquinha da liberdade sexual alcançada pela mulher de hoje – se satisfaz com migalhas.

Mistura alhos com bugalhos, liberdade sexual com infidelidade a céu aberto, ao mostrar-se ressabiado com a tremenda disposição da mulher em encontrar o homem com quem quer se acertar e viver junto. Se é assim agora, imagine depois de casada!

É por esta razão que o padre cai na defesa professando sua fé na fidelidade, quando muito para conter o furor uterino.

Entre quatro paredes, se a relação se alonga, fica grosseiro, taciturno e mal-humorado. Em ambiente social, se transforma em festivo e comunicativo, principalmente quando organiza comemorações para demonstrar seu prazer no convívio em patotas que frequenta. Sua fidelidade aos que amenizam o fardo de sua existência.

Esse negócio de ter medo de olhar o mundo do último andar por conta do medo de altura, é história para boi dormir. É porque tem vontade de pular.

Medo por medo, o que mais incomoda aos homens é o toque retal no preventivo do câncer na próstata. Julga constrangedor, humilhante e desonroso quando o médico introduz o dedo no ânus do pobre infeliz, à procura de nódulos.

A despeito de o dedo poder salvar sua vida.

Pouco adianta se nas festas sua imagem corresponde a uma mosca de padaria, olhando as moças ao redor, esperando surgir a chance de atacá-las.

Do ponto de vista de uma horta, seria catalogado como um verdadeiro tubérculo, já que não consegue se elevar e sair do rés do chão.

Os canalhas contra-atacam se valendo das Marias que se sentem sós. Elas perderam o poder de fogo na sedução e choram diante do fim dos sonhos de adolescente: abrir as pernas e fechar os olhos, mas para quem? Eis a questão.

Para princípio de conversa, sejamos civilizados. Atração sexual não é como uma história que precisa ter início, meio e fim. A estima recíproca pode gerar um ambiente de camaradagem. Se desvinculado do aviltante sentimento de posse e ciúme.

Quem acredita nisso? As mulheres do padre, por uma questão de gratidão. Porque ele estava lá quando precisaram de um ombro amigo.

Se alvo de uma banca examinadora, de mulheres evidentemente, mereceria uma nota acima da média, pois ele conseguiu levantar a autoestima delas. Ganharam fôlego, aprumaram seu perfil, se sentiram desejadas e partiram pra outra.

Até porque ele sabe prolongar o prazer com maestria. Louvado seja o padre que recebe o comunicado de sua dispensa sem qualquer gesto de desagrado! O fato de elas não o quererem mais não lhe causa nenhum embaraço, visto que já obteve tudo o que desejava: o banquete. Ao contrário, respira de alívio porque é mais uma com quem não precisa se envolver.

Ah, se o padre soubesse que não era o par adequado para dividir o mesmo teto ou viver um sem-número de anos juntos! Elas não teriam evitado o constrangimento de dizer na sua cara.

Também pudera, em momento algum permite que vasculhem sua intimidade, preferindo esconder-se atrás da capa do fraco que não irá vencer o desafio que toda mulher representa.

Passaram por sua vida como se fossem tias a cuidar do sobrinho predileto. Um amor de pessoa. Soa tão inofensivo! Por que não dizem um amor de homem? É a mania idiota do momento, esse negócio de se referir aos outros como pessoa. Cultivada por pessoas que não mais conseguem identificar a que sexo estão se dirigindo.

Ele adora dar assistência às mulheres, deliciando-se em quebrar o tabu do amor livre, como se ainda existisse. E como se ainda virgem fosse, o narciso. Para, em seguida, ficar pastoreando seu rebanho com ar de admiração.

Duvido que essas mulheres tenham atingido o orgasmo com o padre... não, não... tenham se satisfeito... não, não... tenham se envolvido com aquele belzebu. Só se aproximaram do calhorda porque têm medo de amar e por ele não representar qualquer ameaça à pureza dos sentimentos que ainda pautam o feminino.

A sina do padre é ficar eternamente perdido, sem identidade, pensando que é "espada". O padre não tem passado. Sempre foi o que ele é. No presente. Sua história nunca mudou. Nunca se divorciou de sua insuportável sina de trocar de mulher a cada mês.

Pouco se falou de amor e muito da necessidade de companheirismo. O amigo de fé, irmão camarada. Sem que se mova uma palha, estamos deixando escorrer pelo bueiro, com a maior cara lavada, amizades que remontam a anos. Ai que saudades da molecagem de pés descalços, do riso fácil e da arte de enganar os outros apenas pelo motivo de pregar uma peça! E de que adianta ter um amigo que não compartilha segredos, sempre pronto a sugar os seus? Amigo que é amigo não sente inveja, nem sofre de pesadelos com a realização de sonhos que não lhe pertencem.

PREDADOR

O predador tem como hábito transformar a mulher por quem acaba de se apaixonar em sua esposa, em período de carência que varia de três a seis meses, apresentando-a a seus filhos, a seu pai – compreensivo com suas trapalhadas –, e à horda de amigos que frequentam a boemia. Solidários, todos brindam à sua presença, cercam-na de atenções fazendo crer que é especial, única e irá ter vida longa. O predador a insere em sua vida por completo. Ela passa a conjugar o verbo na primeira pessoa do plural, dando a nítida impressão às suas amigas de que irá se casar ou viver junto, tanto faz.

Ao acordar de uma esbórnia que varou suas faculdades mentais, deu na telha do predador: pôs fim ao futuro promissor que o estava abalando emocionalmente, a ponto de gerar apuros na capacidade de se exprimir, esbugalhando seus olhos de peixe morto e retesando o queixo em cacoete, mal podendo falar com aquela mulher, ali do seu lado, agora uma estranha. Fim de caso.

O predador é burocrata, nasceu da vida em grande família, se obriga a dar curso à tradição, todavia necessita renegá-la. Alguma voz o comanda para agir segundo o figurino, porém procura nadar contra a correnteza. Exime-se de qualquer culpa de seus atos, se o amor se acaba como se fosse apenas um amor de fim de noite.

Por ser um deficiente inconsciente, dá vazão à ação predatória ao se afastar de um amor que pode extinguir o medo de ser feliz. Ao jogá-la fora, mantém-se incólume e deixa a mulher triste com a sua negligência. Magoada com a inutilidade do afeto depositado. Infeliz com o afeto desperdiçado justamente em quem levou a maior fé. Incondicionalmente. Pior que ser trocada por outra mulher é banalizar o afeto e negar a energia que move a vida e alimenta a alma.

Tripudiar sobre o afeto, embrião do amor, equivale à perversão no nível de pedofilia, pois que engana a boa-fé ao renegar a possibilidade de amar, o ato de devoção ao afeto. Uma bomba de efeito retardado, a dificuldade de o homem residir na entrega.

Atribui ao outro, melhor dizendo, coloca a culpa no outro, que o está sufocando. Nunca confessa que é ele que não está dando conta de si mesmo na relação. A mulher é sempre a desequilibrada em nome do amor. O homem trata apenas de pôr as coisas em ordem – a primazia do ser racional lhe pertence na cadeia sucessória. Para entregar a rapadura, terão que passar por cima do seu cadáver.

Na cadeia ecológica, a presença do predador não é novidade – necessário ao equilíbrio. Quando o homem se comporta como irracional ao ofender o amor de forma tão antinatural, ascende o primitivo dentro de si, por trazer na sua essência a herança fragmentada de seus antepassados, que ratificam o conflito. Nada impede que ele seja um predador no livre exercício de sua mente estrambótica. Ou seja, o predador sobrepuja o racional, de que tanto o homem se orgulha e não é, porque tem o poder de abstrair de tudo que não seja essencial a seus propósitos, bem como redirecionar problemas para não ter que resolvê-los. Mas pouco se utiliza da riqueza da palavra – o privilégio da espécie – para explicar sua inconstância. Ao restringirmos a amplitude das palavras quando nos calamos, somos levianos como medida de defesa, já que a palavra falada entrega o ouro.

O predador é amador porque pratica o esporte sem interesse pecuniário. Dedica-se à arte de pilhar as mulheres por puro diletantismo, ou no exercício lúdico de satisfazer sua curiosidade – o seu sadismo incontrolável.

Não creio. Pratica a rapina como forma de obter a energia vital para prosseguir em sua vida. De profissional. Perdido, porque não se satisfaz na exata medida de quem procura prazer em relações multifacetadas que só sinalizam o não saber o que fazer com seu sexo.

Justifica sua inação alegando privação de sentidos, eufemismo de pusilanimidade.

O que insulta sua reputada inteligência que consegue descortinar pelo exame da retina das mulheres como elas não param de vasculhar o homem, a fim de observar até onde vai sua veracidade no amor. Ao se sentir invadido, conclui que não vale a pena continuar e toma tenência de relacionamentos com propensão a vingar. É a fobia a compromissos.

A fobia de o eterno pesar na consciência, daí vulgarizarem soprando no ouvido de todas "eu te amo", porquanto emprenhar o ouvido não engravida. Além de produzir uma categoria de orgasmo sensivelmente superior ao localizado no ponto G, tão somente por ser intangível e arrancar a imaginação do rés da cama, levando vantagem sobre os sonhos ao superar o orgasmo da Idade da Pedra, temperado a gritos e sussurros. Gemidos que não encerram dor nem queixas, a prova viva de que o prazer é travesti.

O que está confundindo a cabeça do homem é que a concepção sobre a esposa ser um lugar seguro e confortável para viver, comer e ter a roupa lavada e bem passada, uma mistura de mãe e empregada doméstica, transfigurou-se na companheira, fiel amiga e camarada, uma amante para não botar defeito. Sepultou-se a antiga ideia de que mulher não pode ser amiga de homem e que o sexo, como uma besta incontrolável, é quem aproxima o casal.

Ele reagiu aos novos tempos, replicando com mais pulos de cerca. A aventura passageira não interfere no relacionamento a sério, além de estimular o homem a retardar o compromisso. Colocando a mulher em xeque: "Se me enganas uma vez, a culpa é tua. Se me enganas duas vezes, a culpa é minha", já recomendava Anaxágoras.

Arte por arte, o macho prefere Shakespeare, em cometer o erro que o diverte ao invés do acerto que o entristece. Foi só atração física, e nada mais. Apenas não digere bem quando ela rompe com os neuróticos laços de ternura e deita-se na cama de outrem.

Aí ele enrola a lona do circo e vai fazer amor em outra freguesia. Não adianta protelar. Vai se defrontar cada vez mais com mulheres resolutas, convencidas de seu processo irreversível de jamais tornar à cadeira de balanço de suas avós e bisavós, porquanto fundamental a independência financeira e poder político.

As mulheres avançam na força de trabalho dos diversos setores econômicos, mas nas hierarquias tradicionalmente masculinas, como na política, economia e guerra, têm que lutar incansavelmente para subir, por vezes se comportando de modo incisivo e austero, ao feitio masculino, para abrir portas. Pouco a pouco, os lares vão prescindindo da figura do chefe de família em meio à avalanche de abandono do posto, por absoluta incompetência em administrar o relacionamento em equipe. E demonstrarem ser uma nulidade na colaboração e na interdependência, de preverem o que está por vir e agir, ao se esconderem por trás de palavras lançadas ao vento e atitudes ao léu.

Eles não seriam lesos em confessar delitos do gênero "destrói cada mulher com quem se casa". Por dentro, remoem de ódio quanto à perda de terreno, mas não acusam a sucessão de golpes sofridos para não perder a pose - esse o traço mais significantemente canalha do caráter de qualquer homem.

O FIM DO DONJUANISMO

Os psicanalistas de plantão, de estetoscópio em punho, reuniram-se para auscultar o coração de Don Juan e interpretar suas batidas diferentes. À margem dos bons costumes e cânones sagrados de associações de psicanálise.

Interpretam Don Juan como um vagabundo endeusado que perambula sem rumo certo, condicionado a reafirmar sua virilidade, compromissado em evitar qualquer compromisso, à procura de uma nova identidade num mundo que é cada vez mais das mulheres.

Don Juan precisa se nivelar ao pai. O filho, quando cresce, quer a mãe só para si. Mas tem o pai no seu caminho. A obsessão em querer a mãe é tão grande que nem a posse de todas as mulheres do mundo conseguiria equivaler à conquista de seu pai: a de ter possuído sua mãe. Don Juan transforma a vida numa corrida contra o tempo para descobrir quem é seu pai, o todo-poderoso, que penetra em sua mãe. E angustia-se por querer se identificar e se ombrear com seu pai. Através do pênis.

Mas isso é o bê-á-bá da psicanálise. Orgulha-se da fama de super-herói e garanhão, que seus próprios comparsas enaltecem, para esconder o guri assustado que troca constantemente de parceiras, com o intuito de esquivar-se da dependência do amor de uma mulher.

Afinal, seria insuportável perder a mãe de novo!

Prefere viver nas nuvens, em meio às suas fantasias infantis, afogado no doce delírio de que pode tudo, a morte tarda, Deus é grande e em seu horizonte só cabem todas as mulheres do mundo.

É o cataclismo dos Don Juan: suas regalias prosseguem se esvaindo pelo ralo, seus cabelos brancos não impõem respeito, abusaram tanto da docilidade que a mais servil das mulheres já oferece resistência. O melhor a fazer é renunciar a essa herança maldita. Antes que seja tarde. Don Juan está enfermo. Em ponto de fuga. Avizinha-se uma retirada em debandada. Urge fugir de algo que não pode encarar. De um homossexualismo enrustido? De descobrir que é um canibal, ao "comer" as eleitas oferecidas em sacrifício para apoderar-se de suas almas?

"Em última análise, Don Juan ama as mulheres, mas não a mulher" – atesta João Silvério Trevisan em seu livro "Seis balas num buraco só".

O que têm em comum? Impotência, inveja, cinismo, rancor e o medo de serem abandonados. À sua própria sorte. Por não conseguirem o que tanto ambicionavam, ou porque assistiram escorrer por entre os dedos das mãos o que possuíam. Orgulhosos de seu brilhantismo intelectual a brincar de formular novos modelos de sociedade e de felicidade, nem se aperceberam de que não se controla ou se manipula a lógica da vida. Senão, ela se vinga e se retira à hora que bem entende para que caiamos no desgoverno e no vazio, instilando o medo que irá bloquear outras formas de prazer, até então intocadas, e que ajudariam a aliviar a dor. Restando, como paliativo, correr atrás de outra crença. Mas, cadê força?

Quem nunca deu nada de si, como esperar do próximo? Parecem carroças que trafegam sempre no mesmo sentido. Quando estão por baixo, se encolhem e não dão notícias. Exceto se o sinal de alarme soar estridentemente para avisar que mais um colega da corporação está destroçado por causa de uma mulher. Querer saber o que o amigo ao lado está fazendo, nem pensar. A chama da curiosidade se apaga. O afeto se atrofia. Não conseguem sair do lugar, patinam. Perdem o impulso da reação. A inércia progride. A lobotomia se espalha. Prenuncia-se a morte cerebral.

Apesar disso tudo, consideram-se heróis da Era Inteligente em que vivemos: carro inteligente, prédio inteligente, computador inteligente, mulher inteligente. E heróis aspiram a ser imortais, divinos. Provocam a ira dos deuses que não admitem que míseros mortais, incluídos os heróis, ambicionem ascender ao Olimpo e amar suas deusas. Somente os deuses podem se transformar em carne e osso, sem que nenhuma punição recaia sobre suas cabeças. Por essa razão, os homens sentem o fragor de sua ira que os condena ao sofrimento. Ou seja, herói é fadado a sofrer na vida terrena.

Enquanto as proezas sexuais continuarem a ser louvadas, falhas dificilmente serão creditadas na conta do homem, que comemora suas conquistas com marcas no coldre de seu revólver. Por que se amedrontam tanto quando a intimidade sentimental com a mesma mulher começa a se prolongar? Talvez guardem um nível de parentesco de primeiro grau com a impotência, da qual fogem como o diabo da cruz. Por partilharem com o impotente o mesmo medo de ver sua masculinidade comprometida, ao ser engolido pela voracidade emocional das mulheres.

O que obriga os parasitas a trocarem de parceira, sem parar. Encaram o sentimentalismo como afetação, reagem com apatia e contaminam a mulher com o veneno da insensibilidade. Desde que nascem, são condenados a desempenhar o papel de Don Juan, de forma a afastar o perigo gay, ponto de honra dos pais.

Condenado a ser Don Juan, elas tardam, mas acabam descobrindo que ele não é nada daquilo que imagina ser. É até decepcionante como companheiro de cama, e o rejeitam mais do que se ele fosse impotente.

Farsa não é igual a sapo, que se engole. Vomita-se!

Mas também ficar ouvindo que todos os homens são iguais é bater na mesma tecla.

Para alguns estudiosos, o Apocalipse não significa o final dos tempos e sim uma profunda mudança em todo o planeta. Podia se revelar na destruição de trigais no velho Egito, de onde o homem extraía o seu alimento – o que plantava e colhia, mulher nenhuma botava defeito. Eis que uma nuvem de gafanhotos, surgida do nada, veio para despir o rei e ele ficar nu. Faz-se necessário pôr um termo na guerra entre os sexos e conter o holocausto. De mulheres que, por séculos, se abstraíram da vontade própria e, posteriormente, de homens que, por culpa, começam a se imolar.

Para nascer uma nova relva, um novo verde, uma nova esperança, de forma a apagar o triste legado de autoritarismo, violência e a total falta de respeito para com o próximo.

Uma nova era se anuncia com o fim do donjuanismo e do machismo empedernido.

Nessa eu não entro, trata-se de uma rematada empulhação o fim do donjuanismo. O homem continua a ser um conquistador barato. Quando promete, encanta. Faz juras de amor, arrebata, finge, come e some. É aquele que continua a manipular o sonho de amor. O mesmo que, no passado, não tinha medo de compromisso. Aproximava-se com intuito de casar-se, sem receio do romantismo, e depois colecionava uma infinidade de concubinas para provar que era um amante maravilhoso. Atualmente, todo esse percurso foi encurtado sob a desculpa de que a mulher também tem o mesmo direito. Eu odeio quando eles dizem com a cara mais lavada: "Se as mulheres podem, por que também não posso usar?".

Os homens só entendem as coisas pelo viés da brutalidade, pressão, coação e estupro. Comportam-se como um menino teimoso que, quando encasqueta uma ideia na cabeça, haja Deus para lidar com essa teimosia e tentar mudá-lo.

A fim de que não morram desse jeito.

O PRESTADOR DE SERVIÇOS

Os homens cansaram de as mulheres palpitarem sobre o seu estilo. De galinha até provedor-mor da irmandade. De sovina a mão-aberta. De generoso a bruto. De não dar limites às crianças e não se importar com os velhos. De excessivamente permissivo até restritivo demais. De receber com fidalguia e bater com o telefone na cara. Reclamam de sangrarem sua adega sem que possa gemer de dor, de aliciarem sua fiel empregada por confundirem com babá. De murcharem as plantas com mau-olhado.

Por não ter braços para dar conta dos encargos diários de mulher, mãe e profissional, elas têm uma tendência a se aproximar do prestador de serviços. Atento aos mínimos detalhes, o prestador é uma central de atendimento e tarefeiro, por excelência. Localiza endereços, a melhor rota no trânsito, indica médicos, especialistas e instrutores de toda ordem, a receita culinária dos sonhos, o barato dos preços, o produto de acordo com o consumidor, onde encontrar a pessoa certa no lugar adequado, na conveniência de seu tamanho.

Sem a menor maldade, um pau pra toda obra. Um ouvidor-geral numa modalidade incatalogável de relacionamento que não desperta cálidos amores, quanto mais uma fugaz paixão, sequer a luxúria. Porquanto bom amigo e não amado amante, que irá se tornar um velho companheiro. A cada serviço prestado, cresce a olhos vistos o seu embevecimento pela mulher em apuros, enquanto começa a arquitetar uma dependência magnificamente bem explorada quando irá misturar mães na ceia de Natal.

Diante do quadro confuso de interesses que está minando os relacionamentos, a mulher procura um bom caráter. Para poder respirar um ar puro. Corre o risco de não ser nada daquilo com que sonhava, mas ela precisa se assegurar de que ele quer o seu bem.

A seu lado, ele eleva sua autoestima e se cobre de orgulho. O amor é tão lindo quando a musa canta e anuncia que orgasmos estão ao alcance de qualquer vaidade.

Atender somente a ela representa o seu céu, a liberdade que se permite desfrutar.

O prestador de serviços não se preocupa em se atender – finge que interage com a vida. No máximo, é um soldado prestando continência a um comando que reverta a mesmice de sua existência.

DJ's se transformaram em gurus da materialização de sonhos quando balançam esqueletos na penumbra de boates. Sonhos representando desejos do que você precisa para viver feliz, muito feliz. Deixe-os em paz.

Não seria absurdo afirmar que o prestador de serviços goza do ócio da assexualidade. Já transcendeu a necessidade da penetração, a masturbação como recurso não mais funciona, esfumaçado o fascínio. E a abordagem perdeu o caráter agressivo da conquista. Renunciou aos votos de ser másculo e preferiu a clandestinidade do anódino, neutro e sensabor.

Cansei de ouvir baboseiras. As teorias para explicar tolices são cada vez mais complicadas. É uma tentativa de enganar o incauto. Você olha uma vez e a pintura não quer dizer nada. Você olha de novo e é pior ainda. Diante do engodo, estamos perdendo a capacidade de apreciar coisas e pessoas. De discernir o certo do errado, separar o joio do trigo. Perdemos o paladar, não sabemos mais o que é bom gosto. Tudo que é considerado importante subitamente se torna sem valor nenhum.

Diga-me: quem consegue acompanhar o ritmo enlouquecido das mudanças políticas no planeta? Ninguém mais sabe de que lado está, se o oponente é seu real adversário, se o aliado vai grampear seu telefone, se o disque-denúncia vai finalmente te pegar. Essa dança das cadeiras se transformou numa maratona sem-fim. Os homens conseguiram confundir o mundo, extinguir os subversivos e a ideia de que precisamos de ideologia.

Se os homens não sabem viver a vida com arte, a arte vai se vingar deles na vida. Pintando, retratando, esculpindo essa obra mal-acabada que eles se esmeram em construir no seu dia a dia, para depois aplaudirem e a consagrarem como obra-prima. Até lá, já viramos carniça, e é por isso que as hienas acham graça de tudo.

A UTOPIA DO AMOR ETERNO

É tão mais genuíno associar amor eterno a Romeu e Julieta, que até hoje nos faz dar suspiros que sufocam o coração. Eles se sacrificaram em nome de um amor que todos ambicionam viver. Uma lenda que se converteu em paradigma do amor. E nada como a arte shakespeariana, burlesca e popular, a impedir que se fechem os olhos para um sentimento...

... que pode vir a desbaratar todos os seus planos, aniquilar suas certezas, atacar seus nervos, e até obrigar a entregar os pontos, ainda em vida.

Ou descobrir que nunca amou e vai passar em branco na vida. Ou poder se enamorar sem se incomodar com o ridículo, por estar babando de admiração, sendo capaz de fazer tudo por aquela criatura. Porque acredita, do fundo do coração, que o amor pode mudar tudo.

Não é ilusão de um idiota apaixonado? O século XX descerrou o véu da hipocrisia da tradicional família, franqueou a entrada da mulher na arena e baixou a testosterona do homem, cenário ideal para a pulverização da utopia do amor eterno.

Os relacionamentos amorosos ainda estão condicionados por este mito do amor eterno. O inconsciente coletivo ainda nos exige que o casamento tem que dar certo, tem que se eternizar.

Será mesmo que lá no nosso íntimo, de uma forma inconsciente, ainda exigimos que o amor seja eterno? É eterno enquanto dure. O que só se vê à nossa volta é desamor. Ou seja, eu desdenho você a tal ponto que você vai deixando de me amar e se recolhe à descrença do amor.

A questão é saber conciliar essa ideia antiga de amor eterno com a dinâmica comportamental da modernidade que afeta a vivência do amor. Tal como o descarte fácil do parceiro, o efêmero das relações. O não saber quem eu sou e quem tu és, porque não fomos educados para esse mundo. A falta de garantias que abre caminho para a instabilidade de não suportar tantas manias. Ou simplesmente não saber viver a dois.

Será que ser feliz é ficar escravizado ao mito do amor eterno, ou seja, ter que viver ao lado daquele neurótico, estrupício, egoísta, para sempre? Ou é sair em busca de um parceiro que complemente a outra metade da maçã, concedendo-lhe a dádiva de se sentir como a maçã inteira?

Stendhal descreve a paixão em estágios. Primeiro, admira-se. Depois, espera-se que o sentimento seja retribuído. Quando a esperança e a admiração se combinarem, o amor nasce e desencadeia a cristalização, tendência do apaixonado idealizar o ser amado, imaginando-o mais belo e nobre do que qualquer outro ser humano. Fatal a dúvida e a apreensão se insinuarem, pois o homem não tem certeza se é capaz de fazer a mulher amá-lo de verdade. Ao passo que a mulher duvida de sua sinceridade, se é digno de sua confiança, se irá deixá-la logo que puder. Resultado: há que produzir uma renovada prova de amor, periodicamente. Caso contrário, foi uma ilusão de ótica.

Não, foi uma fantasia, a essência do amor. Apaixonamo-nos por fantoches e fetiches, deuses e plebeus, nunca vistos com clareza. Sequer conhecemos as forças que despertam a atração, mas há uma predisposição latente para amá-los.

O que há é uma extraordinária insatisfação da mulher para com o homem. A tal ponto que deseja transformá-lo naquilo que ela quer que ele seja ou, então, ele não é nada na vida dela!

Os homens é que estão inseguros pois, graças à lógica e tirocínio de que tanto se orgulham, têm perfeita noção da perda de substância de sua personalidade diante da mulher atual, com sérios reflexos na arte da conquista e sedução, reduzindo em frangalhos essa destreza outrora poderosa.

É a hora em que finalmente o homem entende por que a criança chora tanto, obrigando o hospital inteiro a tapar os ouvidos diante do berreiro que não deixa ninguém ignorar. É o querer ser incluído dentre os bafejados pela sorte de amar e ser amado nesta vida. Chora de medo por saber ser difícil substituir o afeto e o desvelo da mãe pelo amor ideal tão almejado durante o trajeto da vida.

Não tem escapatória. Quer dizer que viver só faz sentido se houver amor? Pois se do pecado original ninguém mais se lembra, o amor livre liquidou com a virgindade e tirou o sentido da lua de mel, os rituais com que se celebram as núpcias concorreram para desmoralizar o amor eterno, então, não há como ajudar ou prestar socorro a quem precisa descobrir por onde recomeçar.

Assim sendo, é o fim da utopia do amor eterno de Romeu e Julieta. Eterna é a busca, dentro ou fora da relação. O mundo se estreitou violentamente com a internet e a realidade não comporta paraísos. A idealização de manter acesa a chama da união mais sublime, revestida de lirismo e pureza, esbarra no ciúme que corrói o amor.

Soa mal, no instante do orgasmo, ele insinuar-se no ouvido dela com um "você me pertence". Parece que quer enjaulá-la e que de lá só poderá sair se ele resolver abrir a porta.

E "você é minha"? O importante é se sentir querida e muito amada, senão a sensação é de abandono, de faltar vínculos.

Que se sepulte a estúpida realidade de relações possessivas, que transforma o amor eterno em escravizante e esvazia o conteúdo das juras de amor que conferem magia ao dia a dia. O importante é sair de dentro de si para alcançar o benquerer de quem se ama.

O homem só faz questão de exclusividade quando quer que a mulher pertença a ele. No mais, joga para a plateia fingindo que está magoado, quando a mulher aperta a descarga e lava as mãos, deixando-o escorrer pelo ralo.

A mulher exige exclusividade como prova de amor.

PAPÉIS TROCADOS

O aborto provoca sequelas no homem?

Se o homem amar aquela mulher que escolheu para si, ou melhor, desejá-la como somente sua e de mais ninguém, abortar o filho sem consultá-lo corresponderá a uma declaração de guerra, porque o anulou como homem e cortou o mal pela raiz, isto é, cortou a raiz fazendo uso do mal. Com seu senso de culpa aguçado pelos males seculares causados à mulher, entende o aborto como algo de si arrancado das profundezas do seu inferno, possuído por ânsias de vômito que denotam a paternidade rejeitada na negação da mulher em assumi-lo como seu homem. Seu coração sangra e é um dos poucos momentos em que se flagra o homem chorando tal como uma mulher, ao ter sido abortado o porvir de um novo homem nesse arraial abençoado por Deus.

À sua semelhança, é bom frisar. Enquanto as mulheres resmungam uma carência de serem ouvidas, de não ser possível falar a verdade na cara dos homens, de quererem se libertar da fama de useiras e vezeiras em inconfidências e intrigas.

Os homens contra-argumentam que elas se perdem no que estão falando, sequer se dão conta da incoerência que espalham pelos quatro cantos dos salões. Interrompem constantemente o clímax de seu pensamento, ao lhes ocorrer uma luminosa ideia, pouco importando se tem a ver com o âmago da questão.

Argumentação típica de seres que não ouvem a voz de dentro. Falar demais, para as mulheres, é reflexo da falta de atenção e carinho de que se ressentem, de uma mágoa que grita para que eles reparem que elas existem.

Ao ouvir que é insensível, o homem tripudia. Manda que ela não faça pose de anticonvencional, livre como um pássaro, de cabeça aberta, sacramentando que precisa de alguém que a aceite tal como ela é: uma puta mulher (sublinha ironicamente).

(Com um ar grave) Uma puta mulher capaz de traí-lo no oitavo mês de gravidez para compensar o desprezo expresso no silêncio que ulcera mente e coração. Embora correndo o risco de a lançarem na fogueira da condenação, por que não sentir o hálito de outro homem na sua boca? O cheiro do macho com suas mãos rudes a abraçar e apertá-la toda? Uivar de prazer sem que tapassem sua boca, com vergonha dos vizinhos ouvirem a histérica?

Perante um juiz da Inquisição, o homem se defenderia de tão infame traição, culpando a mulher fálica. Que inibiu a testosterona dele, vindo a influenciar na concepção de um filho com alma gay.

O clitóris pode representar o falo quando se indispõe com a função meramente receptiva e passiva destinada à vagina. E servir de florete a uma esgrimista contumaz com os homens, procurando desconstruir seu figurino de amor e desembaraçá-lo de arquétipos existentes desde que o Universo foi constituído, como o culto à beleza concentrada no corpo da mulher.

A mulher fálica seria Eva, se Deus não a tivesse expulsado do Paraíso. Preferiu reservar as tentações para Cristo e compartilhar seu calvário conosco, o que não impediu a mulher de carregar a sua cruz.

A cada opinião dela, repercute no seu discurso valores masculinos, tais como pragmatismo, dogmatismo, racionalidade, além do abuso do bom senso. Assim se desvincula da intuição tipicamente feminina e levanta uma fortaleza em torno de si, somente se permitindo se avoar por cima dos muros levada pelas palavras. O palavrório evita abrir a guarda e não se equiparar às outras mulheres, vistas por ela como submissas.

Se a disputa entre homem e mulher vira um jogo sem-fim que desgasta, exaure e frustra, imagine com os papéis trocados!

A mulher fálica adora se divertir tirando o homem do sério ao questionar seu saber.

Mas quando ela se deixa envolver pelo abraço de urso do homem, paralisa. Sem saber que papel está desempenhando: se o de homem, sendo fálica, ou de mulher, no instante em que se rende ao pau do homem.

O homem não consegue esconder seu desconforto perante a mulher fálica – a pedrinha no seu sapato.

Por desejá-la com veemência. A ponto de perder seu eixo.

Por desejar a porção masculina?

A pergunta que não quer calar.

DELÍRIOS

Confesso que já me sinto como um médico a realizar uma tomografia no homem. Com tomógrafos de última geração que captam imagens de qualquer órgão do corpo humano em pleno funcionamento e examinam, em altíssima velocidade e minuciosamente, os seus usos e costumes, bem como o histórico de seus ancestrais. Se bem que é necessário um médium para identificar os fantasmas que assolam a alma do homem e deixam o seu coração encolhido.

Um contrassenso, pois que, bombeado, o coração dilata, querendo ou não, para se antenar, conectar e vincular.

Os delírios da mulher interferem na psique do homem e afetam o seu autocontrole que tanto preza. A saber:

O delírio que salta aos olhos é casar na igreja mais pomposa, convidar cinquenta casais e organizar uma recepção em sítio afastado, servida por uma *entourage* de garçons, *sommeliers, hostesses* e manobristas, distribuídos em um gramado florido decorado por uma fonte luminosa de desejos, ao som de forró, rock, bolero, funk e *big band.*

Só para contestar, o delírio seguinte é adotar uma vida alternativa, independente de tendências dominantes, na doce liberdade de "eu quero uma casa no campo", onde o rural torna o cocoricó da madrugada na ária de uma diva... e chegar tarde para construir um lar careta com filhos, e ser feliz.

O terceiro é pensar que eterno é o amor quando se é jovem, e quando não se é mais, perpetuar a imagem idealizada do amor eterno.

O quarto é pensar que a beleza pode tudo e não notar que o tempo dela já passou. O tempo de atrair a todos, com sua varinha, os varões que ainda não se fossilizaram.

O quinto é ter certeza de que o homem da vida dela pertence à outra.

O sexto é que o homem descubra e realize a fantasia que ela carrega desde criança, jamais dita ou insinuada por ela.

O sétimo é fazer crer ao homem que a mulher no fundo pretende iludi-lo e enganá-lo com sua lascívia, quando ela é dependente do amor, carecendo tão somente de chão para levantar voo.

O oitavo é realizar-se mais como mãe do que como mulher.

Em efervescência, mulheres deliram. Desconstruíram-se. Parecem hoje fazer parte de um passado remoto. Contudo, não sentem firmeza em construir por sobre os escombros. O que fazer, se esperar que o tempo sinalize um caminho não cessa a angústia? Restaria o braço companheiro do homem, não para apoiá-la saudoso dos bons tempos, mas para arregaçar as mangas e descobrir o prazer em servir. Em se dar, em ser generoso, em estender a mão, não para pedir, e sim para entrelaçá-la em aspirações conjuntas a serem cozinhadas em fogo brando até que se adaptem à nova temperatura em condições normais de pressão, de forma a debelar uma epidemia que nos contaminou e desagregou na erosão dos tempos, alojando-nos em solitárias com o olho voltado a um Paraíso que somente existiu em lendas. E lendas existem para serem vivas, para darem um cunho de realidade ao caráter que se constrói, senão fenecem no mesmo túmulo em que o latim foi enterrado. Das cinzas, nasce um novo espírito comprometido com o futuro do presente, arejado por uma leve brisa do passado soprada pelo carma, a passar a limpo o terreno que pisamos e resgatar uma dívida contraída no ódio de disputas sem perdão, ao acumular rancores que nos tornaram estranhos e esquisitos de mesma aparência a falar grosso, distanciando sexos, pais e filhos, almas gêmeas.

Delírio, assim é se lhe parece. Tem a ver com pecados capitais. Ambos merecedores de pena capital. O problema é encontrar um carrasco eunuco.

SEQUELAS DA PAIXÃO

O ser humano vive a seguinte contradição ao embaralhar as cartas do amor. Num canto do ringue, o egoísta exige que ela se mantenha disponível e leal como no primeiro dia em que se conheceram. No outro corner, ela reclama irada da falta de romantismo, saudosa do tempo de passeios e flores. A mulher quer que ele entenda quem é ela agora. E o homem quer que ela esclareça se continua ou não provedor, sob a aparência de que a protege.

O maior dilema no casamento é encontrar a fórmula de seguir vivendo junto, depois de finita a euforia e empolgação dos primeiros beijos, já que manter um relacionamento amoroso estável não alivia a depressão diante do despropósito com que o homem se lança à pescaria.

Ninguém, em sã consciência, admite o fim da paixão, por considerá-la mais genuína do que o amor. Seria abrir as portas para a inevitável separação.

O tempo de duração de uma paixão depende da disputa entre os comandos que dobram nossos joelhos e nos fazem cair de quatro, rendendo adoração à química que rola no casal, e a saturação dos neurônios que governam a razão e a lógica. O tempo se esgota quando o pobre coitado não suporta mais a pressão de cobranças e modelos em que se encaixar.

Há quem julgue que morar sob o mesmo teto pode não ser necessariamente por amor, e sim por falta de bagos em começar nova vida e encontrar outra parceira.

E há quem julgue que não morar sob o mesmo teto com quem está se relacionando também pode ser por falta de bagos em construir uma nova vida em comum, dividindo suas coisas.

Alcoólicos anônimos, drogados, compulsivos sexuais, depressivos, obesos, chocólatras, antitabagistas, o rebanho ganhou um novo reforço com as Mulheres que Amam Demais Anônimas - Mada. O que faz a mulher continuar desejando e esperando por esses vagarosos, egocêntricos e perdidos no espaço? Na dependência de relacionamentos amorosos que precisam de socorro. Tarefeiras que são, não se cansam em agradar seus companheiros, desde um simples gesto careta até um rasgo dramático para mexer com a cabeça desses nerds que não dão bola pra nada nem pra ninguém.

Não conseguir escolher homens gentis e agradáveis para namorar ou casar, com medo de serem abandonadas, é reproduzir o perfil de suas ancestrais ainda gravado no inconsciente coletivo e no DNA, para que nunca esqueçam quem é o seu feitor. O ambiente propício para o homem manter a escravidão ao explorar a atração fatal onde fervilham obsessão, ressentimento, sadomasoquismo e inquietação.

Basta confrontar a evolução de expressões que saem da boca do povo a refletir a mudança de mentalidade. No passado, "este homem não está preparado para ser chefe de família", "homem precisa mais de sexo do que a mulher, é polígamo por natureza", "este casamento não vai durar muito tempo", "fulano é muito volúvel, não sabe o que quer". O homem era o foco da atenção. Já na atualidade, a mulher prova que existe e desvia parte da atenção para ela. "Essa mulher não serve para casar", "quando ela casar, vai sossegar o facho", "falta homem no mercado, só tinha viado naquela festa!". Ao que eles respondem, aproveitando-se da liberação sexual, "foi apenas uma aventura, ela nunca significou nada para mim". Somos apenas bons amigos.

É tudo o que o homem quer, se souber que ela abre mão de sua vida para dar o que tem de melhor em função dos desejos dele, levada pelo desespero de não querer pensar que um dia poderá perdê-lo, submissa a um menosprezo sublinhado na última palavra que ela nunca dá.

Na mitologia grega, já encontrávamos mulheres que amam demais. Eco foi uma das inúmeras ninfas que se apaixonou por Narciso, desconhecendo o que o adivinho Tirésias vaticinou para ele no dia de seu nascimento: vida longa desde que jamais contemplasse a própria figura. Indiferente aos sentimentos alheios, Narciso desprezou o amor de Eco, deixando-a tão desesperada que começou a definhar. Seu belo corpo desapareceu e, por fim, restou apenas a sua voz. De uma tagarelice irrefreável, ia sempre ao Olimpo, a pedido de Zeus, para distrair Hera com sua conversa, enquanto o rei dos deuses e dos homens dava suas voltinhas entre as mortais. Hera, porém, acabou descobrindo o ardil e puniu a pobre ninfa, tirando-lhe o dom da fala e condenando-a a repetir apenas as palavras que ouvia dos outros.

As sequelas da paixão, dentre elas o medo de amar demais. O estrago que os homens provocam à semelhança dos rios que poluem; algo não os comove ou fascina como o terreno infértil, onde não plantam nem colhem. Isentam-se de culpa diante de madalenas arrependidas a inundarem o lago de lágrimas, por desejarem morrer inúmeras vezes, tantas quantos forem os homens errados que se aproximem, porquanto nada têm a ver com o peso específico da mulher.

São vítimas de fundamentalistas na sedução e no poder de mando sobre vontades doentias em ceder o que têm de mais valioso: a sua alma pródiga, ao amamentar homens carentes e despudorados no solicitar e se alimentar de suas tetas. Que ainda não jogaram a chupeta pela janela, com medo da vida.

IRMÃOZINHOS

É todo casal, por definição, que sai junto para todos os cantos, se falam ou se veem quase diariamente, cercado de testemunhas que desconhecem que o casal não mais se "cruza" ao dividir a mesma cama. Não se interpenetram, não dão cabo da missão, não se pegam, não batem o ponto, e muito menos fazem amor. Considerado pelo círculo estreito da sociedade como anormais. Afinal, morar junto e dividir as quatro paredes torna acessível o sexo seguro e viabiliza o prazer com um ganho sem risco, mantida a fidelidade.

Papo de economista. A vida em casal propicia segurança, seja por ambos se complementarem ou pelo viés da proteção suprindo a carência da figura masculina. Ou ainda pelo fato de o marido ser também as rédeas para que ela não se solte, se desprenda das amarras e não se perca nos descaminhos das incertezas da liberdade. Ou pelo fato de a esposa ser o freio moral à sua tendência secular de Don Juan, volúvel nos gostos e interesses, em derivação para o prazer estimulado pela troca constante.

Ai, que conservadorismo! Vivem juntos face ao compromisso perante nossa existência, que gera uma necessidade de dividir as responsabilidades pelos atos que cometemos, tornando insosso o dia a dia ao não ter ninguém para passar a bola, com quem trocar ideias sobre os rumos do Titanic que julgamos comandar, trocar figurinhas sobre o sermão do padre, brincar de pingue-pongue sobre o filme da sessão da meia-noite. Ter com quem criticar o salgado da carne, o doce da rabanada, o amargo do café e o azedo da conversa, para evitar a mudez.

Enfim, escapar desse dilema que é um verdadeiro buraco de não ter com quem dividir, quando deveria ser para somar.

Em face do medo de amar e não se esborrachar de novo, ser amiguinho até que já é uma solução, para quem não quer perder nada, não ousa conquistar e não almeja necas de pitibiriba de renovação. Por conta do comodismo ou de não ter conseguido corresponder a quem quer que seja ou em função do que lhe foi recomendado para ser, obediente que é.

Hoje em dia, a mulher é cobrada por não querer procriar e não ser uma eleita que dê o seu recado e convença, salvo quando põe as cartas na mesa e demonstra efetivamente qual é o seu cacife e a que veio, se para ocupar espaço ou marcar presença.

A modéstia é um valor que caiu em desuso. Quanto ao homem, é cobrado por ser vagabundo, não possuir horizontes definidos e mostrar-se desambicioso, em suma, refratário a inserir-se na competitividade da sociedade.

A não ser que a mulher o banque para servi-la.

Não é pecado deixar de carimbar o leito conjugal que nos repousa. Mas não se vive impunemente a cultivar o tédio, à burocracia do já estou velho para mexer nessas coisas, a entregar os pontos por conta de algo do qual não dará conta. Senão a mulher corre o risco de virar uma Barbie e o homem um androide. Por que tamanho medo da mitologia que cerca o amor? Apenas por ser puro, lírico, repentino, esfuziante, arrebatador, perturbador, cortante, distante, quase inalcançável? Poupamo-nos de exaltar, em suas entrelinhas, a permanência da busca pelo ideal e a crença nesse verdadeiro espetáculo, que é o amor.

Receio das avarias generalizadas ao ser protagonista e mergulhar nas suas dores, queixando-se das dificuldades de tornar o amor real, quando bate de frente com a sedução que vende esperança e se revela traiçoeira. Uma relutância a tomar consciência que possui motivações próprias e ocultas da experiência vivida, de que não é mais capaz de atrair e amar outro parceiro.

Os irmãozinhos encontram-se aprisionados num casamento em que planos e esperanças foram frustrados, viciados numa única forma de ser que inventaram. Resignaram-se e não mais aceitarão que o coração se acelere sem sua permissão. Levarão para o túmulo o segredo de que mataram o desejo de procurar um grande amor. Em tom de desespero, apenas tendo Deus como testemunha, cansaram de esperar e deram um basta nas suas expectativas: esse amor não existe!

As mulheres reclamam de serem tiradas para dançar somente ao apagar das luzes.

Se os homens são incapazes de entrar em contato com a alma feminina, a tendência é de viverem se repetindo. De continuarem a viver da maneira a que estão acostumados.

E elas continuarem a se envolver e se enganar por quem não merece um pingo de consideração, levando-as a desempenhar inesperados papéis impostos para salvar aparências e suprir lacunas. A fim de poder engolir os desenlaces afetivos, sem precisar mastigá-los.

UM POUCO DE HISTÓRIA

Ao contar histórias das "Mil e uma noites", Sherazade nos apresentou Aladim, Ali Babá e os Quarenta Ladrões e Simbad, o Marujo. Aladim que, com a lâmpada mágica ao seu bel dispor, preferiu pedir ao gênio que o fizesse rico para conquistar a filha do califa. Ali Babá se apoderou do butim dos quarenta ladrões. Simbad, em versões para todos os gostos e usos, lutou contra dragões e serpentes do mar, conquistou mulheres e enfrentou bruxas e magos.

Aladim tentando ser o que não é. Ali Babá posa de bom moço até hoje. Simbad, o aventureiro. Reza a imaginação que os homens se deliciam com as histórias de mil e uma noites. Orgulham-se de sua capacidade de amar e arrebatar o coração alheio.

Desde que o ser humano se organizou em tribos, vilarejos, reinos, emirados, sultanatos, califados, feudos, castelos, cidades-Estado, impérios e civilizações, o que importava eram os interesses econômicos no que se convencionou chamar de casamento, para assegurar a manutenção da linhagem. O amor era uma questão de negócio, o dote uma palavra de ordem. A associação ou a sociedade entre os dois sexos era considerada tão séria que não poderia se dar ao luxo de permitir o convívio no seu meio de...

De paixões, como Sansão e Dalila. Cegaram-no e lhe tosaram os cabelos, não o suficiente para retirar-lhe a força e pôr o palácio do rei dos filisteus a pique. Marco Antonio e Cleópatra, que abalaram as estruturas do império romano. Ou de Penélope, que de dia tecia uma manta, para de noite desfiá-la, enquanto esperava Ulisses resistir ao canto das sereias.

No final dos anos 1700, em plena era do colonialismo e do imperialismo que provocou violentas mutações no mapa-múndi do planeta, a população começou a migrar para outras terras mais promissoras com o intuito de fugir de perseguições religiosas. Homens e mulheres se juntaram visando dar uma nova feição ao casamento, que os ajudou a se sentirem menos desamparados, longe do restante da família e de suas raízes, sob as bênçãos do capitalismo selvagem.

É neste momento que o romantismo se instaura e o amor pede licença para entrar no casamento.

O século XIX veio a consagrar o casamento, marcado pela era vitoriana, que expande as fronteiras do império britânico aos quatro cantos do planeta, em conluio com a doutrina protestante, cuja rigidez moral estreitava os limites éticos do cristianismo. Assim sendo, não havia escapatória, todos estavam condenados ao casamento. E ai de quem não casasse. O homem tinha de casar, ou então só poderia satisfazer suas necessidades sexuais com as prostitutas. Depois que passava dos 30, solidão significava sinal de excentricidade, esquisitice e impotência, evoluindo no século XX para viado.

Quanto às mulheres solteiras, era-lhes imposto o papel de viver o cárcere de seu celibato. Fofoqueiras e malvistas, constituíam uma ameaça às esposas. Não construir uma família causava espécie. O mais aconselhável seria se conformar com uma relação insípida e frustrante, à custa de compartilhar a mesma cama, impregnada do cheiro e da presença insuportável do marido.

Até os anos cinquenta do século XX, a mulher queria se sentir protegida num casamento em que o marido desempenhasse o papel de chefe de família como bom provedor, não deixando faltar nada em casa. A boa esposa, para o homem, seria aquela que tomasse conta dos filhos, passasse e engomasse a camisa do terno, acordasse para esquentar o pão no café da manhã e que não deixasse dúvidas quanto à sua decência e dignidade.

Em outras palavras: "Menina, olha os modos!". Conhece a história daquela viúva? Nem bem fechou o caixão, comprou um piano e decidiu já ter ouvido tudo o que tinha que ouvir da vida; ficou surda do falecido marido. Éramos feitas para amar somente uma vez na vida. Dentro do casamento. Sujeito à aprovação dos pais que examinavam o status do pretendente que ambicionava a mão de sua filha.

Homem provedor no casamento e instituto de previdência na separação.

Se de todo o modo a mulher se separava, dizia em tom tristonho "nunca mais eu vou amar de novo". Por ser dependente do homem, o acesso ao amor era como se estivesse interditado.

Na década de 60, ainda persistia o medo de abandonar o porto seguro. Porto seguro abrange desde o *status* de primeira-dama até o chefe de família ou cabeça de casal, gozando de situação financeira estável.

A mulher se sentia segura, apesar de insatisfeita. Porque já o conhecia bem, sabia o que podia esperar dele. De repente, ela resolveu se soltar das amarras. Ignorando o que iria acontecer, sem saber como seria o seu amanhã. Inúmeras vezes se arrependeu de tê-lo largado, e pensava ser preferível uma situação insatisfatória do que se iludir com outro amor e acabar só.

Foi extremamente difícil ela se livrar da garantia do papel. Eu ouvia atrás da porta mulheres desafiando o macho em voz alta: "Você tem de desbravar essa floresta! Prove que me ama primeiro, para eu me sentir segura e me entregar. Sabe por quê? Porque quando me apaixono, eu caio de quatro, enquanto vocês, homens, são uns cínicos!".

A mulher já se dá o direito de largar o homem à hora que bem entender e viver o amor do jeito que sempre quis, enquanto o homem se desvencilhou da carga de provedor e do politicamente correto chefe de família. Empatado o jogo, ambos escolhem seus parceiros por amor e esperam ver os seus desejos correspondidos – o óbvio que tardava. Estão livres e ansiosos para viver o amor na sua plenitude. O amor que liberta e aumenta o prazer.

No entanto, o homem ainda se mostra reticente em abrir mão de interesses que proporcionavam imensa satisfação e segurança. Está apenas principiando a fazer concessões. Por absoluto medo.

Medo de ser abandonado pelo amor da mulher. Pior, medo de não conseguir que ela sequer fique gamada por ele. Medo de vir a sofrer de novo por não ser amado. E assim, sucessivamente.

Entregar-se significa abrir passagem para que ela entre no seu íntimo e mergulhe no seu inconsciente.

Medo de que ela tente incessantemente incluir a emoção do amor verdadeiro no dia a dia. Um medo de tirar o apetite e o sono dos justos.

Amor se mistura com poder, domínio e posse. O medo de perder esse amor é tão grande que se procura dominar para que não seja abandonado. A fim de contar com o outro para sempre e afastar a ameaça de rivais. Ser abandonado é o fim do caminho, é o fim do mundo! Em que o outro pode ser melhor do que deus?

O medo de ser rejeitado antecipa a separação.

É a única alternativa que resta à mulher, quando sufocada pela posse e cerceada pelo domínio.

Ingressamos numa nova era de costumes em que a mulher, insaciável, reivindica, exige, cobra e deseja mais, passando por cima do homem como um trator e descontando o tempo perdido, com juros. O que afugentou o homem do espetáculo para assisti-lo de camarote. Passivamente.

Um voyeur que quer se manter à margem das guerras conjugais, depois de haver tentado aprisionar a vagina para dar um fim ao desregramento pré-cristão, seja colocando-a a ferros nas torres de castelos, segregando-a em mosteiros, aferrolhando-a em cintos de castidade, até as solertes ameaças hodiernas de amordaçá-la com espartilhos, corpetes, anáguas, combinação, tampax e calcinhas. Quando não era ele que se introduzia para calá-la em definitivo.

Vivemos uma época de liberdade sexual e da busca frenética pelo prazer, em que é penoso admitir que a dor viva no seio do prazer. O prazer exige que seja saciado, reproduzido, multiplicado, para evitar a existência monótona e estúpida à sombra da solidão. Há que repeti-lo exaustivamente até que nos frustremos, mesmo porque o prazer de amanhã nunca será igual ao de ontem. Não se permite rebobinar a fita, o que acaba por insatisfazer a mente, cair em depressão e ficar de mal com a vida.

A mesma insatisfação da mulher que esvazia relacionamentos. Ao não suportar ser alvo de tanto amor e se constranger com declarações feitas em público, sente-se desafiada e humilhada, desferindo ataques insanos ao homem que quer casar e ter filhos com ela. A reação destemperada e agressiva visa testar até onde vai esse amor, cantado em verso e prosa, para confirmar que os homens mentem a respeito do amor.

"O amor decepcionado em seu excesso não tem outra saída a não ser a demência", já previra Foucault.

O homem restou só. Depois de as sociedades se livrarem de seu maior cancro no século XIX, a escravidão. O homem restou só. Depois de os negros americanos conquistarem direitos civis iguais aos dos brancos e o apartheid na África do Sul encontrar seu fim. O homem restou só. Depois do movimento feminista que libertou a mulher da herança escravagista de seus ancestrais. O homem restou só, depois que os gays se liberaram. O homem restou só, sem saber o que fazer diante de tanta liberdade, libertação e liberação. Com a corrente e a chave da cadeia na mão.

O HOMEM, DE TESE A TESÃO

Desde a Pré-História, o homem se condicionou à arte do combate, aos cuidados de proteger os seus e resolver os problemas de sobrevivência... caçando. Sem jamais demonstrar medo ou vacilo, o que atrofiou a verbalização emocional. Somente agora está em vias de começar a se corrigir, graças à reação empreendida pela mulher, que a libertou da escravidão de grotões, onde, como dona de casa, primava em ser a rainha do lar.

Elas resolveram soltar o verbo sobre sua existência. Se ficassem caladas, a consciência iria pesar. No que puseram a boca no mundo e a ocupar espaços tradicionalmente destinados ao macho, ele passou a cantar "eu quero é sossego".

O bom cabrito não berra.

Não tem mais forças para calá-la. Jamais conseguirá amordaçá-la de novo.

Será que ela o deixará em paz, com o olhar perdido à espera de uma nova caçada?

O homem detesta ser flagrado no erro. Odeia ser pego de quatro no ato, falhando. Há que se mostrar um forte, afinal, comeu poeira por séculos de espermatozoides desperdiçados, procurando se manter a uma distância segura do fracasso. Temor esse que ficou gravado a ferro e fogo no DNA.

Tenhamos fé e esperança nos novos tempos do século XXI, num homem restaurado que abandone a palavra de ordem, de sem tesão não há solução. Sem se enredar no falso dilema de armar a barraca ou chutar o pau da barraca, insistindo em que não há tese a ser comprovada e sim tesão a ser demonstrado.

Os homens acreditam mais no sucesso da testosterona do que na própria mãe. Se ela não for queimada em exercícios físicos de vaivém, pode aumentar a agressividade e provocar conduta antissocial.

Apavoram-se em cruzar os cinquenta ou sessenta anos e cair na malha do comodismo e dos sem iniciativa.

Guiar suas mentes privilegiadas pelos corpinhos bem cuidados de moçoilas e balzaquianas, logo agora que atingimos o auge da influência da Grécia de Apolo e Afrodite no culto ao corpo, é caminho certo para o suicídio. Porque nada os irá satisfazer – o orgasmo é nosso velho conhecido e implora por limites, senão falece na fonte.

São analfabetos no amor ao não saberem distingui-lo da paixão. Caso contrário, como interpretar a bolinação, os amassos, a esfrega, a ereção a todo transe e o cérebro cego?

Só domina o reino animal quem se realiza na competitividade, o lema da corporação.

Cresce em progressão geométrica o horror quanto ao teste do DNA. A paternidade irresponsável do tempo dos senhores de engenho tem seus dias contados. Contudo, não querem se desvincular de seu papel de perpetuador da espécie humana, tolamente confundido com a sua entusiástica e impulsiva disposição para o sexo. Nostalgia de quando guerreiros voltavam das batalhas e o harém de viúvas se punha a serviço para restituir a mão de obra que não resistiu aos combates, sendo o nascimento do varão uma bênção.

É motivo de orgulho para o homem o número máximo de orgasmos alcançados no mais curto espaço de tempo.

Orgasmo não, ejaculação.

Um recorde que provoca em seus invejosos inimigos ou predadores o interesse maligno de lancetar a potência dos seus desafetos. Uma proeza que eleva o conceito que o homem faz de si próprio. A fonte da juventude que Ponce de León não descobriu. Impossível dissociar fazer sexo de fazer amor, o nosso estágio de evolução não distingue o sentimento do cio.

A monogamia pretendeu cortar esse mal pela raiz, mas foi torpedeada por estímulos mentais poligâmicos que surgem como raios e trovões que assolam o cérebro do homem, comprimem a massa encefálica do raciocínio, remanescente nos estertores do berço em que é criado. A prostituição, as imagens pornográficas na internet, vídeos e revistas – a indústria do sexo – têm o caráter hominídeo, pautado no que eles fantasiam na mulher ensaiando um corpo bonito, um peito e bunda de torcer o pescoço, a aparência a preponderar na personalidade. Fato esse que só se agravará com a senilidade, pois que, para transpor a frágil ponte pênsil que atravessa o rio caudaloso que separa o amor em margens opostas, o homem só vê um caminho: através do sexo.

Enquanto a mulher deseja quebrar a vitrine, entrar em sintonia com seus sentimentos e ver reconhecido, por entre suas emoções, o seu caráter afetivo.

Deixando o homem num beco sem saída, considerando-se um injustiçado com a pecha de cafajeste, desagradável, grosseiro ou doentio. Conforme atazanado por algumas impertinentes fuxiqueiras que não entendem seu silêncio na malhação do orgasmo, enquanto sua cabeça está voltada para "e se o tesão acabar de repente?".

Fim de tese.

O NOVO SER

Por que os homens se atormentam tanto queimando os neurônios na obsessão por um melhor desempenho na cama? Parece que estão sempre à beira do abismo. Se não atingem o cume, mergulham num tal estado de prostração que chega a dar pena. Estão sempre enredados em questões de tamanho, volume, enrijecimento, onde depositar o sêmen ao lançar grossas chamas que incendeiem a mulher. Por onde se meter para arrancar sensações que alimentem seu orgulho e vaidade.

A obrigação da virilidade e a necessidade de penetrar transformam-se em obsessão face à imposição de se reafirmar como homem ao longo da vida, porém correndo o risco de desvirtuar para pesadelo quando se depara em embates com a mulher guerreira que transita na noite. Se houver uma disputa pela primazia, instala-se a tensão e o medo de levar uma facada nas costas. Desesperam-se caso não possam corresponder à pantera que vier a lhes soprar no ouvido, implorando mais virilidade no auge da esfregação.

Mas que limitação! Basta transformar em desafio lúdico que se converta no apogeu do prazer.

Não cogita de abordá-la suavemente, buscando o envolvimento que aumentaria o clímax. A tendência é sempre de dobrar o inimigo, jogá-lo de encontro à cama, pô-lo de quatro no ato, ajoelhou tem que rezar, um vocabulário e rol de atitudes que consagram a submissão e o perdedor. A glória ao que domina e consegue curvar a fêmea ao gosto do macho.

A violação dos padrões de ética reflete a atual pobreza de espírito em desrespeitar e desobedecer aos cânones da sinceridade, no rastro do ressurgimento de um primitivismo que nos remete à masmorra de uma era que cultiva a idolatria do sucesso e abastarda o poder. Qual a repercussão no amor?

Reacende a relutância do homem em abrir a boca e expressar suas emoções, suas dores, seus quereres, aviltando o desabrochar de um novo Ser. Há uma conspiração em curso para desvincular o sadismo do cardápio do prazer, para bem observar com que facilidade enrolam os incautos, os inocentes úteis e os compulsivos do amor. A dependência às necessidades ordinárias que o sexo impõe nos ridiculariza, rebaixa e aniquila, reduzindo-nos a nada.

De que se trata um novo Ser?

É aquele cujo coração nunca se engana e, por mais inexplicável que seja, conhece o verdadeiro amor. "O amor do eterno e do infinito, única coisa que dá prazer à mente e a liberta de todo sofrimento", revela Spinoza o segredo da utopia do amor eterno. Por essa razão, tão desejado, com todas as forças de nossas entranhas, e esquadrinhado em todos os cantos e recantos por onde a alma se esconde. É quando se fixa em alguém que não guarda correlação com qualquer outra criatura, ou paralelo com nenhuma situação vivida anteriormente. É obra e graça do divino Espírito Santo, o encontro de almas afins, se é que não estão dando continuidade a vidas passadas. O calor incomum transpira à flor da pele, à primeira vista, e se inicia na admiração, no brilho que exala exclusivamente para você. Emanado da aura.

Soletre a prática desse novo Ser.

Ser homem sendo mulher, ser companheiro sendo amante, ser obreiro não sendo patrão, cozinhar sem enganar, conquistar o interesse sem esmorecer, tolerar sem se rebaixar, fazer a sua parte, diluir a rotina no vinagre se dela derivar o tédio, dedetizar sua casa com doçura.

E quanto ao amor?

Capaz do amor maduro, mesmo tornando-o uma bomba de efeito retardado, porquanto punha a mão na massa e fermentava o bolo ao criar dimensões novas para mágoas antigas. O que não impede de sair faísca do encontro de peles, ficar com o cheiro do outro e adivinhar o que o parceiro percebe, a emoção vivida em conjunto. O amor de não cobrar o figurino, oferecer de bom grado. O amor silencioso que não carece de demonstrações e amplia-se com as ausências relevantes que descansam a inquietude de seu Eu.

Muito desprendimento. A liberdade é um bem raro que exige sapiência no uso e gozo, caso contrário, se volta contra nós e castiga sem dó nem piedade.

Basta não temer alcançar o fim dos seus pensamentos, viver cada instante como se fosse a primeira vez, não permitir que o passado atalhe sua verdadeira vocação.

Gostaria de ouvir a mulher abrindo o verbo e provando que ele não é mais o homem que resiste o quanto puder: "Eu não preciso explicar nada, ele sabe quem eu sou da cabeça aos pés. Ele me deixa ajudá-lo, me deixa penetrar em seu mundo interior. Ele me acata. Ele me ouve e me vê. É tão sensível, a ponto de desarranjar as poucas certezas que ainda me restam. Caráter tão íntegro. Quisera ter sua flexibilidade, saber conviver com as diferenças que existem nos outros e, diante da indiferença, não baixar a cabeça. Ele não complica o amor: é direto sem ofender, é intenso sem sufocar, é escrupuloso sem ser entediante. Não é como os outros homens que associam charme a um intrincado jogo de cartas marcadas. É o ser que eu quero, que tem tudo a ver comigo."

O novo Ser é fronteiriço no limite de suas condições emocionais, sem estar preocupado com o que é normal ou anormal, ousando mergulhar no baú, que não tem fundo, e revirar fantasmas, deparando-se com ninfas e sereias intocáveis, numa dança cósmica que irá corrigindo falhas aparentemente insanáveis de um ego que precisa se desvincular dos instintos baixos e primitivos. Um ego que precisa morrer e nascer renovado. Mas isso é uma outra história.

Este livro foi composto na tipologia
Minion Pro, em corpo 11
e impresso em papel offset 75 g/m^2
1ª edição – março de 2014.